ハーバード・スタンフォード流

子どもの「自分で考える力」を引き出す練《れん》習《しゅう》帳《ちょう》

狩野みき
Miki Kano

PHP研究所

自己紹介《じこしょうかい》

こんにちは。狩野《かの》みきといいます。年《とし》は、あなたの年《とし》×5、ぐらいです。2人の子どもがいます。

好きなことは、バスケットボール、料理、英語、考えること。バスケットボールと料理は仕事にできませんでしたが、英語と「考えること」は仕事にすることができました。もう20年以上、大学生に英語と「考えること」を教えています。

そして、10年前から、小学生にも考えることを教えています。

私の「考えるクラス」では、「お金で買えないものには何がある?」とか「もしも自分が桃太郎《ももたろう》だったら、なんの動物を3びき連れていく?」なんてことをやります〈桃太郎のクイズは、「人間3人」「馬〈にげるときのため〉、ワシ〈空から見張《みは》ってもらう〉、サンタさん〈必要な道具をくれる〉」なんて答えもありました)。あ、なぞなぞクラスじゃないですよ。他にも、「事実と意見を見わける」「目の前にある石がどこから来たのか、推理《すいり》する」とか、「すごい発表」のトレーニング、なんてこともやります。みんなで考えて、みんなでアイデアを出しあって、いつもみんなで大笑いしています。

本もたくさん書きました。考えるための本も、英語の本も。私の目標《もくひょう》は、1人でも多くの子どもに、「考えるって楽しい!」と思ってもらうことです。

「この本をやってみよう」と思ってくれたあなたへ

この本では、いろいろなクイズにチャレンジしてもらいます。クイズには「正解《せいかい》」がないものも多いです。え、正解がないなんてクイズじゃないって?そっか。じゃあ、言いなおすね。

この本でやってもらうのは「特別なクイズ」です。

なんで特別かというと、このクイズをやると、「自分で考える力」が身《み》につくからです。

この本は、小学4年生以上が1人でも読めるようにしてあります。あなたが4年生で、もしもこの本を読んでわからないところがあったら、本の最後に書いてある住所に手紙を送ってください。わかってもらえるまで説明したいな、と思っています。

「この本をやりなさい」と言われたあなたへ

私は子どものころ、「やりなさい」と言われてやるのがイヤでした。まあ、「イヤです」と言う勇気《ゆうき》もないから、とりあえずやってたけど。でもイヤなものはイヤだった。

でもね。今は「やっておいてよかったのかも」と思ってる。だから……って押しつけてるみたいだけど……とりあえずやってみてくれるとうれしい。

この本には、いろいろなクイズがのっています。どれも、「自分で考える力」を楽しく身につけるためのものです。

「楽しく身につける」ってウソっぽい？　そうだよなあ。「楽しく学べる」というものってたいてい、あんまり楽しくない。

でも、この本は、小学4年生以上が楽しく読めるように、いっしょうけんめい書いたつもりです。

あなたが4年生で、もしもこの本を読んで「つまらない」と思ったり、わからないことがあったら、本の最後に書いてある住所に、手紙を送ってください。お返事を書けるといいな、と思っています。

保護者の方へ

『ハーバード・スタンフォード流　子どもの「自分で考える力」を引き出す練習帳《れんしゅうちょう》』をお手に取ってくださり、どうもありがとうございます。

この本は、「自分で考える力」（自分の頭でじっくり考え、自分で納得のいく答えを出す力）を身につけるためのものです。小学生対象の「考える力＋伝える力」クラス（正式名称は「コミュニケーション能力プログラム」と言います）で長年やってきたことを、【クイズ＋解説】という形で1冊にまとめました。クラスで子どもたちが披露《ひろう》してくれたスゴい回答も載せさせていただいています。

「ハーバード・スタンフォード流」とあるのは、私の指導法が、アメリカのハーバード大学とスタンフォード大学の研究・教材に大いに影響を受けているからです。日本には「考える力」を効果的に教えるための教材がほとんどなく、教え始めた当初は海外の教材や論文を読みあさりました。そこで出会ったのが、考えることを徹底的に「見える化」するハーバード大の教育プロジェクトと、考えることを楽しみながらクリエイティブな答えを作り出す、スタンフォード大の教授法だったのです。*

本書の内容は、

練習1・2――考える力の基礎
練習3・4――考える力応用編+伝える力
練習5――クリエイティブに考える
練習6――読解力
練習7――論理的に伝える力

＊特に、Ron Ritchhart他著、*Making Thinking Visible: How to Promote Engagement, Understanding, and Independence for All Learners*（邦訳『子どもの思考が見える21のルーチン：アクティブな学びをつくる』）、Tina Seelig著、*What I Wish I Knew When I Was 20*（邦訳『20歳のときに知っておきたかったこと　スタンフォード大学集中講義』）からはたくさんのことを教わりました。

となっています。

小学4年生以上が1人でも取り組める内容となっていますが、保護者の方がお子さんといっしょに取り組んでくださるのも、もちろん、大歓迎です。

ただし……その場合は、**保護者の方にぜったいに守っていただきたいこと**があります。大歓迎などと言っておきながら、いきなり脅《おど》すようなことを言ってすみません。でも、お子さんの「自分で考える力」を最大限に伸ばすためには、この**三か条**は外《はず》せないのです。

> 子どもの「自分で考える力」を最大限に伸ばすための、三か条
>
> **一、大人が正解を与えない**
> **一、答えが出なくても、焦らない**
> **一、「考える」ときは対等の立場で**

なぜこの三か条が大事なのか、少し説明させてください。

①　大人が正解を与えない　→与えてしまうと、「自分で」考えられなくなります

世の中は、この20年ほどで目まぐるしく変わりました。グローバル化が進み、技術が進化し、良い学校に通って良い企業に就職すれば一生安泰、という時代は終わりました。すさまじい量の情報が常にあふれ、価値観が目まぐるしく変わり、人間の仕事の半分はいずれＡＩ（人工知能）に奪われてしまう、などと言われる時代です。

そのような時代に必要な力として、世界が注目しているのが「自分で考える力」です（詳しくは拙著『ハーバード・スタンフォード流「自分で考える力」が身につくへんな問題』をご参照ください）。多様化する時代、情報があふれている時代、ＡＩに仕事を奪われるかもしれない時代だからこそ、「自分で考えて、自分で道を切りひらく力」が求められるようになったのです。

では、「自分で考える力」が日本でどのくらい浸透しているかと言うと――残念ながら、学校でも、社会でも、浸透どころか、「自分で考えるよりも、誰かが『正しい』と決めたことに従う」ことの方がいまだに多いのではないでしょうか。

「正しい」ことに従うのが悪い、と言っているわけではありません。たとえば、１＋１を

「3」と言われたのでは困ります。でも、「ここで主人公はどんな気持ちだったでしょうか」なんて問題にまで「正解」があるのは、どう考えてもおかしいと思います。そんなこと、主人公に聞かなければわからないし、作者に聞いても最終的には「よくわからない」で終わってしまうかもしれません。

日本は、戦後特に、「どんなものにも正解があり、しかも、正解は1つだけ」という、いわゆる正解主義が重視されてきました。今これを読んでくださっている方も、そして私も、ほとんどの大人がこの正解主義で教育を受けてきたのではないでしょうか。正解は先生が教えてくれる。そして、その正解を確実に出せる人が「優秀」と言われる。

そういう教育に慣れているからこそ、練習問題をやっている子どもが「うーん」と悩んでいると、正解を渡してやりたくなります。でも、どうか、いきなり**正解を与えないでください**。「わからない」と言えば、大人が正解を教えてくれる――そういうことが続くと、子どもは「答えは、大人が教えてくれるもの」と思って**自分で考えることをやめてしまいます**。

「正解は自分で探すもの」というクセをお子さんにつけてあげてください。

なかなか先に進めなさそうなら、ヒントを出してあげてください。「答え、教えて！」と言ってきたら、「いっしょに考えよう」と言ってあげてください。それでも、それだけがんばっても答えが出なかったら……そのとき初めて、答えを教えてあげればいいのです。

② 答えが出なくても、焦らない → 「まだできないの？」はNG。子どもはじっくり考えられなくなります

私には2人の子どもがおり、我が子が練習問題を解けずにいると、私の方が焦り……いいえ、時に、イライラします（生徒だとイライラしないのに）。

でも、自戒の念をこめて言います。子どもがなかなか答えにたどり着けなくても、**イライラしたり、「まだできないの？」などと言ってはいけません。そんなことをしたら、子どもは焦ってしまい、じっくり考えられなくなります**。

イライラしそうになったら、ぐっとこらえてください。焦りそうになったら、「今は、この子の考える力の熟成期間」と思ってください。誰にもプレッシャーをかけられることなく、じっくり考えられる安全地帯を作ってあげてくださいね。

③「考える」ときは対等の立場で　→自分より偉い人には、自分の意見は言いづらいものです。大丈夫です、それくらいで保護者の威厳はなくなりません

皆さんも経験がおありかと思いますが、自分より「偉い」人の前では、意見を言いづらいものですよね。子どもも同じです。いえ、子どもの場合はもっと言いづらいかもしれません。お子さんといっしょにこの本のクイズに取り組むときは、どうぞ、お子さんの「親」や「先生」ではなく、**良き相棒となってください**。

子どもにとって、親や先生は「とてつもなく偉い人」です。これまで、たくさんのことを教えてくれた人です。そんな人に自分の考えを言うなんて……私なら緊張して、死んだフリの1つや2つしてしまいそうです。

人間の脳は、緊張していると、本来の力を発揮できなくなります。お子さんが考える力をどんどん伸ばせるように、

「お母さんはこう思うけど、あなたはどう？」

「そう思うんだね。思いつかなかったなあ！」

などと、対等に話してあげてください。

いきなり対等になると、半信半疑になる子どももいるかもしれません。そうしたら、こう言ってあげてください。


「どんな答えもOK。私はあなたが何を考えているか、知りたいな」

「答えを言いたくなかったら、言わなくてもいい」

「言いたくなくなったら、途中でやめてもいい」


これはどれも、私が、小学生のクラスで子どもたちに言い続けてきたことです。

子どもたちから見たら、私は、どこの誰ともわからない、大学で教えているオバサンです。

最初は皆、たいそう緊張した顔をします。ところが、こう言い続けていろいろなことを話し合っていると、あるとき、「ねえ、先生、こんなこと思いついちゃった」と嬉しそうに話してくれるようになります。

ただし、先ほどの3つのセリフには、取り扱い注意事項があります。それは、

ぜったいに言った通りにする

ということです。

「どんな答えもOK」と言ったのに、子どもが言ったことに否定的な反応をしたり、悲しそうな顔をする。あるいは、「言わなくてもいい」と言っておきながら、答えを急《せ》かす。そんなことをしていては、子どもは大人のウソを見抜いて心を閉ざし、考えるどころか、何も言わなくなります。

だからといって、言いたい放題にさせてもいけません。私は、「どんな答えもOKだけど、人をバカにしたり、傷つけるようなことを言ってはいけない」ということも繰り返し伝えています。

子どもと対等だなんて……そんなことをしたら、親や大人としての威厳がなくなってしまうのでは？ と思われるかもしれません。でも、心配はいりません。

私は、我が子とも、生徒とも、考えるときは「対等な仲間」ですが、子どもたちが宿題を忘れたり、ウソをついたときは、1人の大人としてしっかり叱ります。そして、子どもたちは、そんな私の言葉をちゃんと聞いてくれます。大丈夫です、子どもは、大人のことをちゃんと見ています。自分の考える力を伸ばすために「仲間」になってくれる大人を、バカにしたりしません。子どもをどうか、信じてあげてください。

子どもの考える力は、大人の心がけ1つで伸びもすれば止まりもします。これからの時代を生き抜くための大事な「自分で考える力」を、いっしょに伸ばしてあげてくださいね。

ハーバード・スタンフォード流

子どもの「自分で考える力」を引き出す練習帳《れんしゅうちょう》

もくじ

装幀　根本佐知子（梔図案室）
装画　大塚砂織
本文デザイン　印牧真和
本文イラスト　大塚砂織
かとうともこ

練習《れんしゅう》1

理由を言う

※クイズの答えや答えの例は、クイズの1~6ページほど後のページにあります。

まずは最初のクイズ。

Q1 もしも、学校で新しいクラブを作れるとしたら……何クラブを作りたい？

＊もちろん、この問題に正解《せいかい》はないよ。

クイズっていうから、もっとむずかしいものかと思った？

このクイズのむずかしいところは、正解がないことかもしれない。自分で「これだ！」と思ったものを、どれだけ自信をもって答えられるか、が大事なの。

あなたは何クラブにした？　ダンスクラブ？　お笑いクラブ？　「何もしないクラブ」とか？　えっ、そんなのダメ？　先生にしかられちゃう？

「ダメ」とか、しかられるとか、今は気にしなくていい。正解はないんだから。オリンピッククラブ（オリンピックのまねばかりする）とか、宿題クラブとか（いらない？）、ツメ切りクラブ（とにかくきれいにツメを切るクラブ）でもいい。

前に「昼寝《ひるね》クラブ」を作った、という子がいたよ。その子の学校では、大人5人からサインをもらわないと新しいクラブを作れないんだけど、先生たちにたのんでも「ダメです」と言われるのはわかってたから、栄養士《えいようし》さんや主事《しゅじ》さん、お医者《いしゃ》さんのサインを5人分集めた、って言ってたなあ。

じゃあ、次の問題。あなたが作りたいクラブについて、聞くよ。

Q2 なぜそのクラブ（Q1の答え）を作りたいの？

＊この問題にも正解はないよ。

（　　　　　　　　　　　　　　　　　　　　）

えーっと、もしも本当に好きなクラブを作れたとして、次の①②みたいなことになったら、あなたはどう思う？

①あなたは「ダンスクラブを作りたい」と言い、友だちは「マジッククラブがいい」と言ったとします。最近、あなたの学年ではマジッククラブがはやっていたのです。さて、どちらのクラブにするか投票したところ、ダンスクラブに賛成《さんせい》した人は3人、マジッククラブに賛成した人は25人でした。

ということは、あなたは「ダンスクラブ」と言わないほうがよかったのかな？　「ダンスクラブ」と言うのはまちがいだった？

②今度は、あなたも友だちも「ダンスクラブを作りたい」と言ったとします。先生に「なぜダンスクラブを作りたいの？」と聞かれ、あなたは「ダンスが好きな人はたくさんいるから」と答え、友だちは「運動会でダンスをしたとき、みんなで1つになれてうれしかった。みんなで1つ

【答えの例】

Q1　ダンスクラブ、お笑いクラブなど

になれるダンスはクラブにむいてると思う」と答えました。

うーん、友だちの答えは長いし、なんか頭良さそうだなあ……じゃあ、あなたの答えはまちがっているのかな？

①も②も、答えは「いいえ」、**ぜったいNO《ノー》！**だ。

賛成してくれる人が少ないと、「ヘンなこと言ったかも」と思うかもしれない。でも、それであなたの考えがまちがいになることはない。②だってそうだ。たしかに、友だちの理由は長くて、先生にウケそうだ。でも、「ダンスが好きな人はたくさんいる」もりっぱな理由だよ。クラブって、やりたいと思う人がたくさんいないとできないよね。

何クラブを作りたいか、ということも、なぜ作りたいのかという理由も、みんなちがってあたり前。みんなの顔や性格と同じように、それぞれちがう。「ちがう」からといって「まちがってる」ことにはならないんだ。

どんな考えも、理由も、「○○だけが正解です。それ以外はまちがいです」なんてことになったら……とても悲しいし、こわいよね（なんで悲しい・こわいんだろう。理由を考えてみてね）。

ところで、Q2で「うちの学校に○○クラブはないから」と答えた人、いるかな。どんな理由もオーケー！　なんだけど、ごめん、「うちの学校に○○クラブはないから」だけはダメなの。どうしてか、わかる？

【答えの例】

Q2　ダンスクラブ↓「ダンスが好きな人はたくさんいるから」
お笑いクラブ↓「今はお笑いの時代だから」など。

Q2は「なぜそのクラブ（Q1の答え）を作りたいの？」だよね。まだないクラブだから作りたいんだ。すでにあるクラブなら、作る必要はない。っていうか、作れない。

たとえば、サッカークラブがない学校にいる人が、「サッカークラブを作りたい。理由は、うちの学校にサッカークラブはないから」と言ったとする。でもこれ……あたり前のことを言ってるだけだよね。「なぜそのクラブを作りたいの？」と質問《しつもん》してる人は、あたり前のことを聞きたいんじゃなくて、あなたはどう思うの？　とあなたの考えや気持ちを聞いてるんだ。

Q2で「なんとなく」「わかんない」と答えた人へ

人はみんな、何かを見たり聞いたりして、「いいな」とか「なんかイヤ」とか思いながら生きてる。

あ、今、「いいな」「なんかイヤ」ということばを使ったけど、自分が思ってることをことばにするのって、じつはすごいことなんだよ。人が思うことに、最初は「ことば」なんてついてない。はじめて出会った犬やぬいぐるみに名前がないみたいにね。

人は、何か思うと、それをことばにしようとする。脳《のう》ミソががんばって、色も形もない、フワフワした気持ちに「いい」とか「イヤ」ということばをつけてあげてるの。そして、もっとがんばると、なんで「いい」とか「イヤ」とか思ったのか、という理由がことばになって出てくる。

理由をことばにするのは、ペットやぬいぐるみに名前をつけてあげることににてると思う。名前をつけるときは、この子にいちばん合う名前（こ

とば）は何だろう、って考えるでしょ。理由を考えるときも同じで、自分の考えてることにいちばんぴったりくることばは何だろう、と考えなくちゃいけない。

え、そんなのめんどうくさい？　うん、めんどうくさいよ。めんどうくさくて、何もかもイヤになって、病気になりそう？　それほどでもない？　それほどじゃないなら、もう少し考えてみようか。

考えることは、クセにするものなんだ。歯みがきみたいにね。はじめて歯みがきをしたときのこと、おぼえてる？　よくわかんなくて、時間もかかったと思うけど、今はフツーにできるようになってると思う。毎日やってると「歯をみがくのはあたり前」と思うようになるし、うまくなるよね。

「なんで？」と聞かれて「なんとなく」「わからない」ですませていると、「なんとなく」「わからない」ですませるクセがついてしまう。考えることはクセだからね。そして、そういうクセがついてしまうと、しんけんに考えなくちゃいけないときに、自分の考えてることをことばにできなくなっちゃうんだ。そうなったらこまる。

しんけんに考えなくちゃいけないときなんてないって？　いや、けっこうあると思うよ。たとえば、友だちとなかなおりしたいけど、どうしたらいいかわからないとき、お母さんにしかられないですむ方法を考えるとき、「おこづかいを早めにください」とお願いしたいとき、おけいこをやめたいとき、受験するかどうかをきめるとき……。

Q3

一度でいいからやってみたいことを1つ、書いてみて。

＊この問題にも正解はないよ。

Q4

なぜそれ（Q3の答え）をやりたいの？

＊この問題にも正解はないよ。

ヒントを書いておくね。

Ｑ３は「一度でいいからやってみたい」ことを正直《しょうじき》に書くこと。一度やってみたいことって何だろう。１日中ゲームをしたい？　ほしいオモチャを全部買ってもらうとか？　そんなこと書いたらしかられちゃうよ、と思うかもしれない。気持ちはわかる。でもね、この本は「自分で考えること」をトレーニングする本だから、本当にやってみたいことを考えてほしい（それでも心配なら、答えは書かないで、心の中にしまっておこう）。

Ｑ４の「なぜそれ（Ｑ３の答え）をやりたいの？」の答えが「やったことがないから」になった人、いる？

ごめん、Ｑ４にも「正解はないよ」と書いたけど、「やったことがないから」はナシなんだ。なんでかっていうと……Ｑ２で書いたこと（26ページ）とちょっとにてる。

Ｑ３は「一度でいいからやってみたいことを1つ、書いてみて」だ。「やってみたい」って、やったことがないことに使うことばだよね。お泊《と》まり会を一度もやったことのない人なら「やってみたい」と言えるけど、一度でもやったことのある人は「（また）やりたい」っていうはずだ。「やってみたい」とは言えないよね。

「やってみたい」理由が「やったことがないから」って……そんなこと言われ

なくてもわかってるよ、と言われちゃうよ。
質問している人は、あなたにしかわからない「やってみたい理由」を聞きたいんだ。
えーっ、そんなこと言われてもわからないよ、という人は、

「なんで今までやれなかったんだろう」
「『そのこと』をやると、どんないいことがあるんだろう」

と考えてみるといいよ。
たとえば、Ｑ３の答えが「１日中ゲームをしたい」だったとする。そうした

【答えの例】
Ｑ３「１日中ゲームをしたい」など。
Ｑ４「ゲームは１日１時間、ときまっているから」など。

ら、
「なぜ今まで1日中ゲームできなかったんだろう?」と考えてみる。1日中なんてぜったいムリ、だってうちは「ゲームは1日1時間」ときまってるんだから——と思ったら、Q4の「なぜそれ(Q3の答え)をやりたいの?」への答えは「いつもゲームは1日1時間、ときまっているから」なんてふうにできるね。

あるいは、Q3の答えが「宇宙旅行」なら、「宇宙旅行をやると、どんないいことがあるんだろう?」と考えてみる。もしも宇宙旅行をできたら……一生の思い出になるなあ、と思ったとする。そうしたら、Q4の「なぜそれ(Q3の答え)をやりたいの?」への答えは、たとえば「一生の思い出になるから」とできるね。

えっと、いきなりだけど、「雨がふりそうだな」って思ったこと、ある？　雨がふるかどうかなんて、気にしたことないって？　そうかぁ。じゃあ、明日から気にしよう。なんでかって？　「なんで『雨がふりそうだ』とわかったんだろう」と考えると、頭が良くなるはずだから。

じゃあ、これを次のクイズにするよ。

Q5 「雨がふりそう」とわかるのはなぜ？

＊この問題にも「正解」はないけど、「天気予報《よほう》でそう言ってたから」という答えはナシだよ。問題文をよく読んでね。「『雨がふりそう』と思うのはなぜ？」じゃなくて、「『雨がふりそう』とわかるのはなぜ？」だからね。

「明日のテストは良い点が取れそう」とか「友だちは元気がなさそう」とか、ほんとうはよくわからないけど、「なんかそうなりそうな気がする」「そんなふうに見える」ってこと、あるよね。ところで、なんでそう思うんだろう？

天才だから？　そうかもしれないなあ。ふだんから自分や友だちのことをちゃんと見てないと、そんなふうに思えないからね。「ちゃんと見る」ってすごいことなんだよ。そして、ちゃんと見ることは、考えるときにとても大事なんだ。

たとえば、「友だちは元気がなさそう」と思うのは、その友だちが、いつもとちがっておとなしいからかもしれない。いつもはよくしゃべるのに、今日はめずらしくおとなしい。いつもおとなしい人なら「元気がなさそう」とは思わないだろうし、その友だちのことをちゃんと見ていなければ、今日だけおとなしいのかどうか、わからないよね。

そして、もしかしたら、「元気がなさそう」と思うのは、「おとなしい」だけが理由じゃないかもしれない。悲しそうな顔をしていて、歩き方もゆっくり……なんてことも「元気がなさそう」と思う理由かもしれない。

「雨がふりそうだとわかる」のも、理由はきっと1つじゃない。たくさん考えてみてね。

【答えの例】

Q5「空が暗くなったから」など。

Q6

シャケとこんぶ。おにぎりの具としてふさわしいのは、どっち？

＊「ふさわしい」はぴったり合う、という意味。

＊＊この問題にも正解はないよ。

Q7

なぜそう思うの？

＊この問題にも正解はないよ。

Q6は「ふさわしいかどうか」を聞いているから注意してね。「シャケとこんぶ、どっちが好き？」じゃないよ。

大人でも、質問にちゃんと答えない人ってけっこういる。いや、大人のほうが多いかな。たとえば、「なんでもう寝《ね》なくちゃいけないの？」と聞いているのに、「そんなこと言ってないで、早く寝なさい」って答えちゃう人。こっちは、寝なくちゃいけない理由を知りたいのにね。「そんなこと言ってないで」って言われてもなあ。

あ……おにぎりの話だったね。「おにぎりの具としてふさわしい」というのは、「シャケとこんぶ、どっちのほうが、『おにぎりらしく』なるかな」ということ。あなたの好ききらいとは関係ないんだ。

「おにぎりらしい」ってどういうことだろう。

「～らしい」ってよく聞くよね。「子どもらしい」とか。ところで、「子どもらしい」ってどういう意味なんだろうね。「元気」なら「子どもらしい」のかな。「すなお」なら「子どもらしい」？　じゃあ、子どもは、元気ですなおじゃなくちゃいけないのかな。

そんなことない！　元気じゃなくても、すなおじゃなくても、子どもは子どもだ！　「子どもらしい」っていうのは、たとえば、図かんに「これが子どもです」という写真《しゃしん》があったとしたら、どんな感じの子どもの写真がのってるといいかなあ、ということだ。

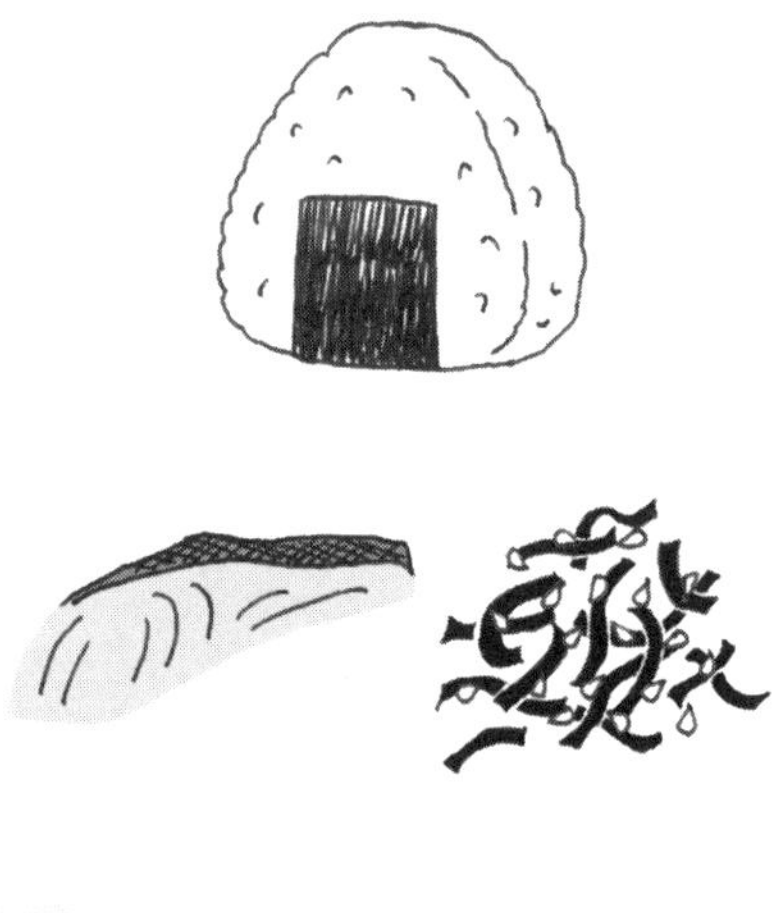

Q6とQ7を考えるときは図かんを想像《そうぞう》してみるといいと思う。「これがおにぎりです」という写真が図かんにのっていたとする。どんな具なら「いかにもおにぎり」に見える？　「いかにもおにぎり」に見えるのはどうしてだろう。

ここでも「なんとなく」「わかんない」はナシね。わからなければ、すぐに答えなくていい。明日、来週、もう一度考えたら、答えが出るかもしれない。考えるときは、あせらなくていいんだよ。

私は、Q6は「シャケ」だと思う。理由は、おべんとうでも、コンビニでも、こんぶよりもシャケをよく見かけるし、こんぶはあまい味のものも多く

【答えの例】

Q6「シャケ」など。

Q7「ごはんと、シャケの塩からさが合うから（こんぶはあまいものも多い）」など。

て、ごはんにはあまい味より、シャケみたいな塩からい味のほうが合う気がするから。

今これを読んで、「この本を書いているえらい先生がシャケっていうんだから、シャケが正解かぁ」って思った？

でも、そんなふうに思わなくていい。っていうか、思わないでほしい。「シャケ」という答えも、「シャケのほうがごはんに合う気がする」というのも、「私ならどう思うか」ということを書いただけ。意見は人それぞれちがう。

あ、それと、私は「えらい先生」じゃない。じゃあ、私がほんとうにえらい先生だったら、私の答えが正解になるかって？　まさか。正解になんてならないよ。意見は、えらい人が言ったから正解になったり、あまり人気のない子が言ったからまちがいになる、というものじゃない。意見は、だれが言ったか、なんて関係ない。これはすごく大事なポイントなので、またくわしく話すね。

練習2

事《じ》実《じつ》と意見

「事実《じじつ》」と「意見」って知ってる？

「事実」は、ほんとうのこと。

100人の人がいたとしたら、100人全員が「そのとおりだよね」と言ってくれること。

たとえば、「地球はまるい」は事実。地球ってほんとは四角いんじゃないの？　なんて人がいても、地球の写真《しゃしん》を見せれば「あ、そっか」とわかってくれる。写真みたいな証拠《しょうこ》を見せると、「あ、そっか」とみんながわかってくれるもの。それが事実だ。

そして、「意見」は、人が考えたこと。意見は、事実みたいに証拠があるわけじゃない。頭の中で考えたことだからね。頭の中は見せられないでしょ。

たとえば、「ピーマンはおいしい」は意見。え？　ピーマンはまずい？　おいしいのになあ。でも、しょうがない。意見は１人ひとりちがうからね。ところで、なんで「ピーマンはまずい」と思うの？

あ、おこってるわけじゃないんだ。意見には、理由がぜったい必要、ということを言いたかったの。

なんで理由がぜったい必要なのかって？　それは、理由がないと、自分が考えてることを、みんなにわかってもらえないから。

それとね、理由がないと、「○○ちゃんなんてキライ」とか「××って気持ち悪い」とか、いくらでもひどいことを考えたり言えたりできるから。

だれかをキライとか、何かを気持ち悪いと思うことはある。私もあるよ。でもね、そう思ったら、「なんでキライと思うのかな」「なんで気持ち悪いんだろう」って、理由をいっしょうけんめい考えてほしい。

理由を考えれば、ほんとうにキライなのか、気持ち悪いのかがわかる。たとえば、キライな理由は「昨日《きのう》、悪口を言われたから」かもしれない。悪口を言われたのなら、キライと思ってもしょうがない。それを口に出すかどうかは別だけど。

でも、理由が見つからなかったら？　もしかしたら、ほんとはキライじゃないのかもしれない。「気持ち悪い」の理由は「おねえちゃんがそう言ってたから」だけかもしれない。はっきりとした理由がないのに、「なんかそんな気がする」と思って「キライ」「気持ち悪い」と言ってしまったとしたら……だれかをきずつけたり、イヤな思いをさせてしまうかもしれない。

意見は自分が考えたこと。意見は自分の大事な一部だ。だから、自分でしっかり考えた理由が必要なんだ。ぜったいに。

ここでおさらい。

事実には、証拠がなくちゃいけない。
意見には、理由がなくちゃいけない。

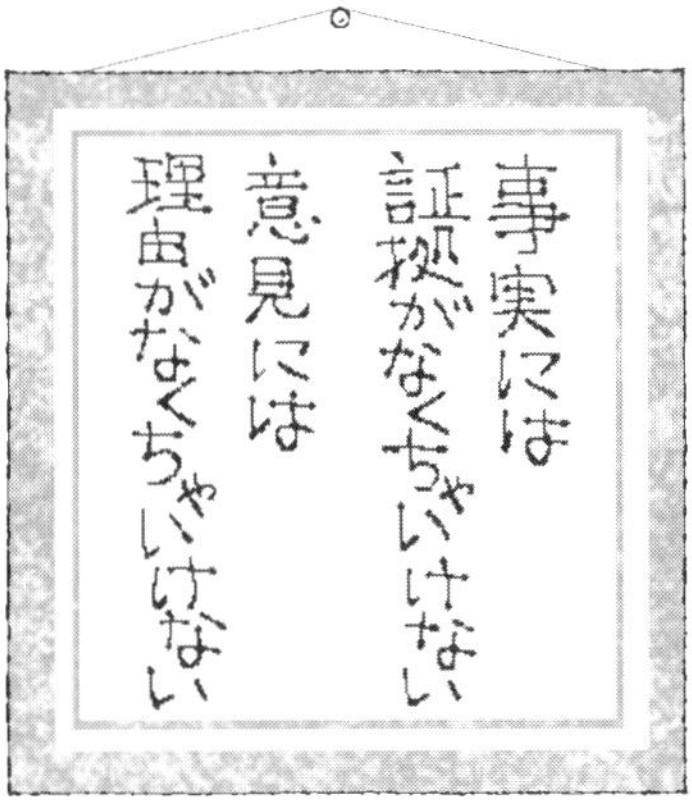
事実には
証拠がなくちゃいけない
意見には
理由がなくちゃいけない

これは、すごく大事なことなので、覚えてしまおう。「事実には証拠！　意見には理由！」と九《く》九《く》をおぼえるときみたいに口にするのもいいなあ。え、そんなことしたらヘンな人に思われちゃう？

そっかぁ……じゃあ、まあ、クイズをしよう。

クイズは全部で6問ある。最後のクイズだけ、正解《せいかい》がないよ。

Q1 「今日は○月×日です」（「○月×日」には今日の日づけを入れてね）は事実？　意見？

＊このクイズには正解があるよ。

事実なら、証拠があるはずだ。証拠を少なくとも1つ、考えてね。
意見なら、「なんで意見と言えるのかな？」と考えてみよう。

正解は「事実」。
簡単《かんたん》すぎたかな。

証拠は、カレンダー、携帯電話《けいたいでんわ》の日づけ、新聞、テレビのニュースなど。なんでもいい。とにかく、これさえ見せれば、聞かせれば、みんなが「あ、そっか。今日は○月×日だね」と思ってくれるもの。いろいろ考えてみてね。

Q2 「宿題はめんどうくさい」は事実？　意見？

＊このクイズには正解があるよ。

事実なら、証拠があるはずだ。証拠を少なくとも1つ、考えてね。

意見なら、「なんで意見と言えるのかな？」と考えてみよう。

正解は「意見」。

「めんどうくさい」というのは、人の考えだから、意見だね。

え、ちょっと待ってよ。漢字の宿題、ドリル10ページも出たんだよ、10ページもあれば「宿題はめんどうくさい」の証拠になるでしょ、という人もいるかもしれないね。

ごめん、でも、それは証拠にはならない。なんでかっていうと、10ページのドリルのことを「めんどうくさい」と思わない人もいるから。

私《わたし》は、たぶん、あなたの年《とし》×5ぐらいのトシだけど、私もむかしは子どもだったわけで……勉強はきらいじゃなかったけど、宿題はめんどうくさいと思ってた。時間はかかるし、エンピツを持つ手の小指のあたりが、エンピツで真っ黒になるし。宿題がなければもっと遊べるのに、お母さんにあれこれ言われなくてすむのに、って。

ところが、私の学年には、勉強がなんでもスラスラできる、すごい女子がいてね、その子は「宿題はあっという間にできるから、めんどうくさくない」と言ってた。えーっ、マジですかぁ、と思ったよ。その子から見れば、「漢字ドリル10ページ」は「めんどうくさい」ものじゃなかったんだ。

自分にとって、「宿題はめんどうくさい」はすごくあたり前のことかもしれない。でも、私の同級生がそうだったように、「宿題はめんどうくさい」と思うかどうかは、人による。

もしかしたら、あなたの友だちや、あなたが今まで会った人はみんな、「宿題はめんどうくさい」と言ったかもしれない。でも、それも証拠にはならない。たまたま、宿題をめんどうくさいと思う人にしか出会ってなかったのかもしれないし、「宿題はめんどうくさい」と思う人だから、友だちになったのかもしれないしね。

事実か意見か迷《まよ》ったときの、考えるコツを教えるね。まずは、

事実には、証拠がなくちゃいけない。
意見には、理由がなくちゃいけない。

を思い出すこと。それでもわからなかったら、

「地球のどこかに『私はそうは思わない』という人はいないかな？」

と想像《そうぞう》すること。そして、「『私はそうは思わない』という人がもしもいたとしたら……」と考えてみて。

その人はどんな人だろう？　何歳《さい》？　どこに住んでて、何をしてる？

そうやって考えてるうちに、「そんな人、いそうだなあ」と思えたら……きっと、そういう人が、世界のどこかにいるんだと思う。そういう人がどこかにいる、ということは、「事実かな、意見かな」と迷っていることは「意見」になる。

反対する人がいるってことは、「事実」じゃない、ということ。事実はみんながなっとくすることだからね。事実じゃなければ、意見なんだ。

Q3 「『宿題はめんどうくさい』と私が言った」は事実？　意見？

＊このクイズには正解があるよ。

（

事実なら、証拠がある。証拠を少なくとも1つ、考えてね。

意見なら、「なんで意見と言えるのかな？」と考えてみよう。

）

正解は「事実」。できたかな。

証拠は、この本の50ページにある（見つかった？　正しくは、私が「書いた」だね）。または、「宿題はめんどうくさい」と私が言っているところを、ビデオにとって見せることもできる。

えー、そんなビデオないでしょ、だって？　ないものが「証拠」になるなんて、ヘン？　そうだね、大事なポイントだ。ちょっとここで、「証拠」について説明しておくね。

たとえば、昨日の昼休み、友だちが学校のろうかを走って、転んだとする。走って転ぶところをあなたもクラスの人たちも見ていた。これは「事実」だよね。

じゃあ、証拠は？　先生が「本当に転んだの？　本当にろうかを走ったんですか？」と聞いてきたら、何を証拠にする？

「私も、クラスの人も見ていました」って言う？

先生になったつもりで考えてみてほしい。もしも先生だったら……。

ほんとうにみんな見てたのかしら、と思うかもしれない。ウソをついてるってことはないかなぁ、と思うかもしれない。「私も、クラスの人も見ていました」と言ったとしても、すべての人が「あ、そっか」「そのとおりだね」と思ってくれるとはかぎらない。すべての人がなっとくしない証拠は、証拠としては100点じゃないんだ。

じゃあ、転んだ子が自分のひざのきずを見せるっていうのはどうだろう？これも、証拠としては30点ぐらいかな。だって、そのきずは、その日の朝、家を出るときに階段《かいだん》につまずいてできたものかもしれないし、きずがあるからといって、「ろうかを走っていた」ことの証拠にはならないよね。

どういうことかというと……。

世の中には、2つのタイプの「事実」がある。1つは、証拠がもともとあるもの。「地球はまるい」はこっちのタイプ。

そして、もう1つは、「今は証拠はないけど、その気になれば、証拠を出せるはずのもの」。「昨日の昼休み、友だちが学校のろうかを走って転んだ」はこのタイプ。

「昨日の昼休み、友だちが学校のろうかを走って転んだ」は「事実」だ。「意見」じゃない。だって、人が考えたことじゃないもの。

じゃあ、もしもタイムマシンがあって、昨日の昼休みにもどれたとして、友だちがろうかを走って転ぶところをビデオにとれたとしたら……どうだろう。証拠は手に入るよね。

友だちが転ぶとわかってるのに、だまってビデオをとるなんてひどいよ、転ばないように注意してあげる——という人もいるかもしれない。うん、私もそれがいいと思う。でも、ごめん、今

は、「その気になれば、証拠を出せる？」ということを考えたいんだ。

事実だと思うけど、証拠が見つからない！　と思ったら、

「タイムマシンで過去《かこ》にもどれたとしたら、証拠をとってこられる？」

と考えてみて。「とってこられる」と思えればたいてい、「事実」なんだ。

それと、もう1つ大事なこと。「だれかが『〜』と言った」というのは、いつだって「事実」になる（ウソをついてなければ、の話だけど）。『〜』が事実かどうかは関係ない。

「『地球はまるい』と先生が言った」は事実（「地球はまるい」は事実だよね）。

「『オレはイケメンだ』とおにいちゃんが言った」も事実（「オレはイケメンだ」

は意見）。

「明日地球がメッツボウする」とか「大人になったら、白い馬に乗った王子さまがむかえにくる」とか、どんなにめちゃくちゃなことでもいい。めちゃくちゃなことでも、それをだれかがほんとうに言ったとしたら、「その人がそう言った」ということだけは、事実になるんだ。

ところで、なんで、事実か意見かを見わけるクイズをこんなにするのかって？　そうだよなあ、それこそ「めんどうくさい」よなあ。

なんでなのか、今から説明するよ。でもその前に、次のクイズをやってもいいかな（ダメって言われたらどうしよう）。

Q4

あなたは「カノ中学」に行きたいと思っています。ある日、大好きな先生に「カノ中学は君にぴったりだ」と言われました。「カノ中学は君にぴったりだ」は事実？　意見？

＊このクイズには正解があるよ。

事実なら、証拠がある。証拠を少なくとも1つ、考えてね。
意見なら、「なんで意見と言えるのかな？」と考えてみよう。

正解は「意見」。先生が考えてることだから（「『カノ中学は君にぴったりだ』と先生が言った」なら事実になるね）。

正解した人は多いんじゃないかな。「意見にきまってる」って思った？

じゃあ、これが、ほんとうに自分の身《み》に起きたら……「意見」って思えるかなぁ。

行きたい中学、やってみたいスポーツやおけいこ、住んでみたい場所ってある？

あなたの「大好きな先生」はだれ？　先生じゃなくても、「あこがれの人」でもいい。

ちょっと想像してほしいんだけど……たとえば、行きたい中学とか、やってみたいことがあって、そのために、いっしょうけんめい勉強や準備《じゅんび》をしていたとする。ある日、大好きな先生（あこがれの人、でもいいよ）に「あそこは君にぴったりだ」「あのスポーツ・おけいこはあなたにぜったいたい合ってる」と言わ

れたら、うれしいよね。「さすが△△先生（□□さん）！」なんて思って、言われたことを信じると思うんだ。

まるで、それが「事実」であるかのように。

でも、どんなに好きな人が言ったとしても、意見は意見だ。「人の考えたこと」が事実になることはない。でもね、大好きな人、あこがれの人から言われたことは「事実」だと思ってしまうことがけっこうある。

もしも「○○中学は君にぴったりだ」という先生のことばを「事実」だと思ってその中学に行ったらどうなるだろう。本当にぴったりならいいけど、全然合わなくて、毎日つまんなかったら……つらいし、「なんだよ、あんないいかげんなこと言って」とその先生のことがきらいになってしまうかもしれない。自分のことを責《せ》めてしまうかもしれない。そんなこと、してほしくない。

先生の話、友だちの話、おうちの人の話。本、テレビ、インターネット。私たちは毎日、いろんな場所で、いろんな人から、いろんなことを聞く。それが「事実」なら信じたほうがいいし、どんなにえらい人、大好きな人が言ったことでも、「意見」なら「この人はそう思うんだな、でも、私はちがうかもしれない」と思っておけばいいんだ。

意見は１人ひとりちがうんだから。

Q5

つぎのお楽しみ会は何をやろうか、とクラスで話し合いをしています。ドッジボール、手つなぎおに、などのアイデアが出たところで、先生が「ドッジボールがいいと思います」と言いました。「ドッジボールがいいと思います」は事実？　意見？

そう。意見。先生の考えたことだから。

では、先生が言った意見は「正しい意見」なのかな？

＊このクイズにも正解があるよ。

正解は「正しい意見ではない」。

よく、「私の意見は正しい」とか「○○さんの意見はまちがっている」って言う人がいるんだけど、あれ、おかしいんだよね。

意見は1人ひとりちがう。ちがうっていうことは、「これは正しい」とか「あれはまちがい」とかきめられないはずだ。牛と馬はちがうから、「牛はまちがい」「馬は正しい」なんて言えないよね。それと同じだ。

正しい意見なんてない。まちがった意見なんてものもない。だから、意見を言うときは、「まちがってるかも」なんて思わなくていい。

そりゃあ、意見を言うときはきんちょうする。私も、学校の保護者会《ほごしゃかい》で意見を言うときはドキドキして心臓《しんぞう》が口から出そうになる。でも、きんちょうすることと「まちがってると思う」ことは別だ。

でもね。「正しい意見」はないけど、「良い意見」はある。

「良い意見」というのは、理由をちゃんと考えた意見のこと。たとえば、「ドッジボールがいいと思う。ドッジボールは、得意《とくい》な人も不得意《ふとくい》な人もいるけど、みんな、それなりに楽しめると思うから」は良い意見。「不得意な人もいる」「みんなが楽しめることが大事」なんてことをしっかり考えているよね。

先生の意見でも、理由をちゃんと考えていなければ「良い意見」にはならない。5歳の子の意見でも、理由がしっかりしていれば「良い意見」になる。総《そう》理大臣《りだいじん》や有名な人の意見も同じ。ちゃんと理由を考えていなければ、どんなにえらい人が言った意見でも「良い意見」にはなれないんだ。

Q6 「ミッキーマウスは人気者だ」は事実？ 意見？

＊このクイズには正解がないよ！

事実なら、証拠がある。証拠を少なくとも1つ、考えてね。
意見なら、「なんで意見と言えるのかな?」と考えてみよう。

「事実」と答えた人は、たとえばこんな証拠を思いついたかな?

ディズニーランドに行って、ミッキーのグッズがたくさん売っているところを見せる、とか。ミッキーといっしょに写真をとるために、長い列を作って待ってる人たちを見せる、とか。

たしかに、たくさんのグッズや長い列は「人気者」の証拠になるかもしれない。

じゃあ、今度は「意見」と答えた人に質問。なんで意見だと思うの？「宿題はめんどうくさい」のクイズ（49ページ）といっしょで、「人気者」と思うかどうかは人それぞれだから？「ミッキーよりもスヌーピーのほうが人気だよ」なんて人もいるかもしれないね。

このクイズでは、**「人気者」ってどういう意味？**ということを考えなくちゃいけない。

「人気者」の意味は人によってちがう、と思うなら、クイズの答えは「意見」になる。

「人気者」かどうか、証拠を見せればみんなわかってくれる、と思うなら、答えは「事実」。

答えはどっちでもいい。自分でいっしょうけんめい考えたなら、それが正解だ。

練習3

ほかの人の立場から考える

えー、いきなりですが。携帯電話《けいたいでんわ》の気持ちって考えたことある？　携帯って、画面をさわられたり、ボタンを押《お》されたり、床《ゆか》に落とされたりするよね。でも、「イタイヨ」とは言えない。え、あたり前？　では、問題。

Q1

携帯はふだん、どんなことを考えてると思う？　思いつくだけあげてみて。

＊この問題に正解《せいかい》はないよ。

どんなことを思いついた？

携帯にはいろんなタイプがあって、おりたたみ式のものもある。使わないときは折《お》って閉《と》じておいて、使うときに開くタイプのものね。みんな、けっこうなスピードでパシャ、パシャ！　と開けたり閉じたりするんだけど、携帯もたいへんだなあ……なんて思ったら、たとえば、「いつも体をまげたりのばしたりしていて、きん肉には自信がある」なんて答えもできそうだね。

Q2

あなたの学校に、トルコからアブドラくんという転校生がやってきました。アブドラくんは、日本に来たのははじめてで、日本語はできません。英語は少しだけ話せます。

アブドラくんが日本という国で、日本の学校で、こまることは何？思いつくだけあげてね。

＊アブドラくんのかわりに「セビジちゃん」という女の子がトルコから来た、という設定《せってい》で考えてもいいよ。

＊＊この問題にも正解はありません。

【答えの例】

Q1「落とさないように気をつけてよね」「いつもいっしょにいてくれてうれしい」など。

コツは、「もしも自分がアブドラくん（またはセビジちゃん）だったら」と**リアルに想像《そうぞう》すること。**

行ったこともない、ことばも知らない国にひっこして、そこの学校に行くことになったら……あなたは何がこまる？

どんな毎日になるんだろう？　いちばん心配なことは何？　授業《じゅぎょう》がわからないこと？　食べものがちがうこと？　親友に会えないこと？　あなたがこまることは、たぶん、アブドラくん（セビジちゃん）もこまるんだ。

なになに、トルコがどんなところかわからないと答えられないって？　うん、とても良いポイントだね。だれかになりきって考えるためには、その人がどんな人か、どんなところでそだったのか、知らないとね。

トルコに行ったことがないからわからないって？　そうだね、行ってみないとわからないことはたくさんある。たとえば、町のにおいとか、夏は日本と同じような暑さなのか、とかね。でも、行かなくても、調べることはできる。図かんやインターネットで調べてもいいし、トルコに行ったことのある人に聞いてみるのもいいね。

【答えの例】

Q2「友だちとおしゃべりができない」「道にまよったとき、どう人にたずねればいいのかわからない」「『お手洗《てあら》い』の字が読めない」など。

Q3

ある朝、目がさめたら、お母さんと体が入れかわっていることに気づいた……！　何をする？　思いつくだけあげてね。

＊お母さんじゃなくてもいいよ。お父さん、おじいちゃん、おばあちゃん、きょうだいなど、家族のだれかと体が入れかわっていたら……と考えてみてね。

＊＊正解はありません。

Q4

お母さん（または、おじいちゃんなど）として、１日をすごすことになったら、どんな１日になるかな？　「お母さん（など）の日記」を書くつもりで、お母さん（など）の気持ちを考えながら、紙に書いてみてね。

＊これも、正解はないよ。

Ｑ３は、思いっきり楽しんで答えてほしい。お母さんと体が入れかわったら、「身長（体重）をはかる」「また寝《ね》る（寝ぼけてるだけかもしれないから）」なんて答えた子もいたよ。「まず、トイレに行く！」と言ってた男の子もいたなあ。

Q4は、お母さん（など）の気持ちをいっしょうけんめい考えることが大事。

【答えの例】

Q3「『お母さんと体が入れかわっちゃった！』とさけぶ」「宿題をしないで、テレビを見続ける」など。

Q4（お母さんのつもりで）「6時に起きてごはんを作っていたら、タロウの目ざましが鳴った。タロウは起きてこない。またださ、と思って部屋に入っていって、『いいかげんに起きなさい！』とタロウのふとんをはいだ。むかしはさっさと起きてきたのに……。朝ごはんを食べて、タロウは学校に行った。テレビを見ようかと思ったけど、仕事を先にやることにした。タロウにいつも、『やらなくちゃいけないことを、まずやりなさい』と言ってるから、私もそうしなくちゃね……」など。

えっと、ここでまたクイズ。次の文章をよく読んでね。

ある事件《じけん》の犯人《はんにん》が、車に乗って逃《に》げていました。その車は大きな道路を走っていたのですが、その道路の右がわには公園、左がわにはコンビニがあります。あなたはそのとき公園にいて、その車を見かけました。あとから警察《けいさつ》に、「車は何色でしたか」と聞かれて、あなたは「白でした」と答えました。コンビニにいた男の人も同じ質問《しつもん》をされたのですが、その人は「黒い車でした」と答えました。だれもウソはついていません。車の色は、いったい何色だったのでしょう?

正解は……右半分が白、左半分が黒（右が黒、左が白、でもいいよ）。

そんな色の車がほんとうにあったとして（下の絵を見てね）、「何色でしたか」と聞かれれば、右がわにいた人は「白」って答えるだろうし、左がわにいた人は「黒」って答えると思うんだ。

右半分が真っ白で左半分が真っ黒なんて車は、めったにない。めったにないから、右がわしか見なかったら「右から見たら白だから、車全体も白にちがいない」と思うだろうし、左がわの黒いほうしか見なかったら、「車全体も黒にちがいない」と思っちゃうんじゃないかな。

「見えること」は、その人が**どこから見ているか**、で変わってくる。白黒の車みたいにね。

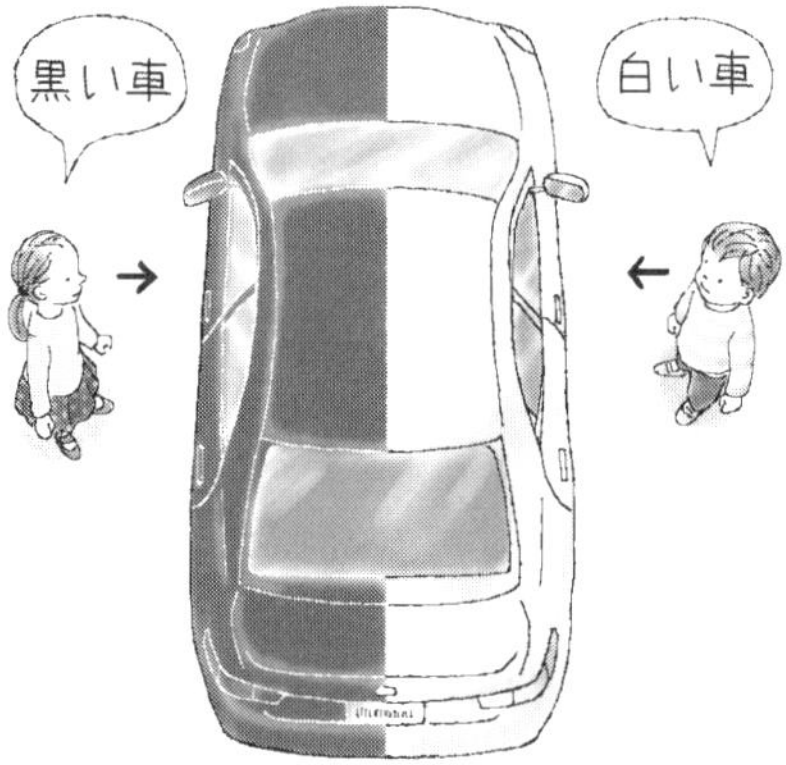

ところで、あなたはいつも家で食事をするとき、テーブルのどのあたりにすわってる？

あなたから見える「テーブルの景色《けしき》」は、テーブルの反対がわにすわってる人——たとえば、妹——とはちがうはずだ。ためしに一度、席を交換《こうかん》してみるといい。時計も、お母さんの顔も、しょうゆの置いてある場所も、全部、ちょっとちがって見えるはずだ。

そして、「見えること」は**その人の立場**でも変わってくる。

たとえば、お母さんが毎朝、「いいかげんに起きなさい！」と言ってくるとする。でも、じつはあなたは、「何時に起きるとちこくするか」というじっけんをしていたとしたら、どうだろう。あなたがじっけんしているということは、お母さんに「見える」かな？　たぶん、見えないと思う。説明でもしないかぎりね。お母さんは、あなたがじっけんをしてるとは知らずに、「またダラダラして……」と思ってるかもしれない。

自分にはふだん、見えないもの、見えない気持ち。Q４に答えるときは、そんな見えないものや気持ちを、「自分がもしもお母さん（など）だったら……」といっしょうけんめい考えてほしい。

Q5

イルカのショーって、見たことある？　イルカが水の中から飛び上がってボールを取ったり、輪《わ》をくぐったりして、いろんな芸《げい》を見せてくれるんだ。こういうイルカは水族館《すいぞくかん》で飼《か》われていて、ショーをするためにいっしょうけんめい練習してるんだけど……そこで問題。

イルカショーのイルカは、幸せだと思う？　幸せじゃないと思う？

理由も考えてね。

＊この問題にも正解はないよ。

じゃあ、続けて、次の問題。

Q 6

Q5で「幸せだと思う」と答えた人へ→「イルカショーのイルカは幸せじゃないと思う」とクラスで発表しなきゃいけないとしたら……「幸せじゃない」の理由として、どんなことを言えばいいと思う？

Q5で「幸せじゃないと思う」と答えた人へ→「イルカショーのイルカは幸せだと思う」とクラスで発表しなきゃいけないとしたら……「幸せ」の理由として、どんなことを言えばいいと思う？

＊この問題にも正解はないよ。

Q5で「イルカショーのイルカは幸せだと思う」と答えた人は、「イルカショーのイルカが幸せじゃないなんて、想像つかないよ」と言うかもしれないね。ぎゃくに、「イルカショーのイルカは幸せじゃないと思う」と答えた人なら、「イルカが幸せ？　ありえない」と思うかもしれない。

でも、ちょっと考えてみて。

「イルカショーのイルカは幸せだと思う」「イルカショーのイルカは幸せじゃないと思う」は事実？　意見？（「事実」「意見」って何だっけ……という人は44ページを見てね）

意見だよね。人が考えてることだから。

意見だということは、反対のことを言う人がいるはず、ということだ。じゃあ、「反対のことを言う人」にはどんな理由があるんだろう？　そこを考えると、Q6の答えが出てくる。

理由が思いつかないときのコツは、

「イルカショーのイルカは幸せだ（または、幸せじゃない）と思う人は、どんな人だろう？」

と考えること。

そして、だれか思いついたら、

「その人に、『なんでイルカショーのイルカは幸せだ（または、幸せじゃない）と思うの？』と聞いたら、なんて答えるかな」

と考えてみる。その答えが、Ｑ６の答えになるんだ。

「イルカショーのイルカは幸せだ」と思う人って、どんな人だと思う？

たとえば……「小さいころイルカショーを見て、すごく楽しかった」という人？

そういう人なら、「イルカショーのお客さんは楽しそうにしてた。楽しそうにしているお客さんを見ているイルカも、きっと幸せだと思うから」なんて言うかもしれないね。

じゃあ、「幸せじゃない」と思う人にはどんな人がいると思う？

イルカがふだん練習していると聞いて、「むりやりやらされる練習なんてイヤだ」と思った人とか？　そんな人なら、「イルカショーのイルカは幸せじゃないと思う。練習がキツいから」と答えるかもしれないね。

そういえば、「イルカは幸せじゃないと思う。だって、親がつけてくれた名前とはちがう名前でよばれてるから」と言った女の子がいたな。水族館の人がイルカの名前をよんでいるのを聞いて、「親イルカにつけてもらった名前はどうなったんだろう、私は、親がつけてくれた名前をぜったい変えたくない」と言ってたよ。

【答えの例】

Q５「幸せだと思う。お客さんに喜んでもらえるから」「幸せじゃないと思う。水族館は海とちがって、せまいから」など。

Q６「イルカショーのイルカは幸せじゃないと思う」の理由――「練習がキツいから」「海に帰りたいから」など。

「イルカショーのイルカは幸せだと思う」の理由――「拍手《はくしゅ》してもらうとうれしいから」「いろんな芸《げい》ができるようになるのが楽しいから」など。

でもさぁ……なんでぎゃくの立場とか、お母さんと体が入れかわったらとか、そんなことを考えなくちゃいけないのかって？

「なんで」と思ってくれるのってうれしいな。「なんで」は大事だからね。えーっと、なんでこんなことを考えるのかというと、それはね、自分1人の考えじゃ足《た》りないからだ。どんなに頭のいい人でも。ノーベル賞を取るようなすごい人でもね。

どんな人でも、見れるもの、考えられることには限界《げんかい》がある。

なんで見れるものに限界があるかというと、世の中のことすべてを見れる人なんて、いないからだ。

たとえば……Aさんという人がいたとする。あなたとAさんは今年はじめてクラスがいっしょになって、最初はなかよく遊んでたんだけど、ある日、「ねえ」と声をかけたら、無視《むし》されてしまった。え、感じわるっ、と思って、「A

さんはきらい。無視するから」と思ったとする。

無視されるのはつらい。でも、もしもAさんが無視してなかったとしたら……？

「ねえ」という声がAさんに聞こえてなかったとしたら？　Aさんは「なあに？」と答えたけど、その声がチャイムの音で聞こえなかったとしたら？　あなたの耳は、なんでもちゃんと聞こえるのかな？

あなたは、「Aさんが無視した」は「事実」だと思っているかもしれない。でも、ほんとうに事実なのかな。タイムマシンで過去《かこ》にもどれたとしたら、証拠《しょうこ》をとってこられる？

「無視されても、がまんしなさい」って言ってるんじゃない。ここで大事なのは、「『無視されたように見えただけ』ってことはないかな?」「『無視された』というのは思いこみ、ってことはない?」と考えることなんだ。

自分が「見れる」ことにはかぎりがある。白黒の車のところでも話したけど、「自分にはこう見えた」ということが、事実じゃないこともある。だから、「他の人は、自分とはちがうふうに見えてるかも」と考えるクセをつけてほしい。

そして、1人ひとりが考えられることには限界がある。なんでかというと、人の考えは、その人の得意《とくい》なこととか、やってきたことと関係があるから。ナニナニ、考えはその人の「人生」と関係があるってことか、だって? かっこいいねえ。うん、そのとおりだ。

白黒の車を思い出してほしい。右がわと左がわの色がちがう車を見たことがある人なら、白い色のほうだけを見ても「もしかしたら、反対がわはちがう色なのかも」と考えられるかもしれない。うたがうことが得意な人なら、黒い色のほうだけを見ても「車の色は一色、とはかぎらないかも」と思うかもしれない。でも、そんな車を見たことがない人や、うたがうことが得意じゃない人は、「ぜったい白（黒）！」としか考えられないんじゃないかな。

さっきのAさんの話の続きをしてもいいかな。

Aさんに無視されたと思って、「Aさんはきらい」と思っていたあなたが、ある日、友だちに「Aさんに無視された」と話したとする。すると、その子が、「私もこの間Aさんに無視されたと思って、『無視しないでよ！』と言ったの。そしたら、『無視してな

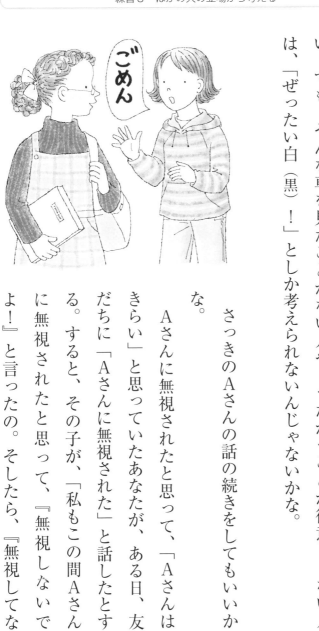

いよ。ごめん、考えごとしてると、何も聞こえなくなっちゃうんだ』と言われちゃって。Aさん、無視するような子じゃないよね」と言ったとする。そこで、「そういえばAさん、この間の算数の時間に、『ちゃんと話を聞きましょう』って先生から注意されてたな」と思い出したとしたら……あなたの「Aさんはきらい」という意見は少し、変わると思うんだ。

自分1人で考えていたときは「Aさんはきらい」という意見だった。でも、友だちの考えを聞いたあとは、「Aさんのこと、きらいときめちゃうのはまだ早いかも」と思うかもしれない。

他の人の意見を聞くと、自分の意見が変わる。ほんの少しだけかもしれないけどね。でも、他の人の話を聞けば、自分だけの思いこみを「もっと良い意

見」にできるんだ。

だから、他の人の意見を聞けるときは、どんどん聞いてほしい。どんどん聞いて、どんどん良い意見にしてほしい。

でも、聞けないこともあるよね。**そういうときは、「○○ちゃんだったら、△△くんだったら、なんて言うだろう」と考えてほしい。**もちろん、理由といっしょにね。そうすれば、「自分の意見とはちょっとちがうな。なんでだろう。自分の意見、このままでいいのかな」と思えるようになるはずなんだ。

この「練習3　ほかの人の立場から考える」の問題は、「もしかしたら、他の人は別の見方《みかた》をしてるのかも」「自分とはちがう考え方をする人がいるかもしれない」と考えてもらうためのものだったんだ。

最後に、おまけの問題を出しておくね。

Q おまけ

宇宙人《うちゅうじん》に「かさ」を説明してください。絵・写真《しゃしん》を見せてはいけません。身《み》ぶり・手ぶりも使ってはいけません。

＊宇宙人は日本語がわかります。えっ、そんなのありえないって？　まぁクイズなんで、日本語がわかることにしてくださいな。

＊＊宇宙人は「水」を知りません。

＊＊＊この問題に正解はありません。

ちょっとむずかしかったかな。

コツは、宇宙人の気持ちになって考えること。

宇宙人なんて、いないのかもしれない。でも、ここで大事なのは、宇宙人がいるかどうか、じゃない。かさを見たことも聞いたこともない、「水」も知らないだれかに、どう説明したら「かさ」をわかってもらえるか、ということ。

正解はないけど、「雨にぬれないための道具です」という答えはナシかなあ。水を知らなければ、たぶん、「雨」もわからないからね。水を知らないということは、「ぬれる」ということもわからないかもしれない。
「雨にあたるとかぜをひく」というのも、宇宙人にはわからないかもしれないね。「かぜ」って宇宙にはないかもしれ

ないから。

宇宙人が「え？　なんのこと？　よくわかんない！」とこまってしまわないように、いっしょうけんめい考えてあげてね。

【おまけの問題の答えの例】

「地球では、空から水というものがふってくることがあるんだけど、水が体にたくさんあたると、服がよごれたり、寒くなって、体がおかしくなっちゃうことがある。そうならないように、水から自分を守るために『かさ』という道具を使うの。かさは、50センチぐらいの細長いぼうの上に、大きな、丸い形の布《ぬの》がついてる。使うときは、ぼうの下のほうを持って、布の下に自分の体がくるようにする。この布が屋根のようなはたらきをして、水が体にあたらないようにしてくれる」など。

練習4

未来を予《よ》測《そく》する

Q1

おうちの人とスーパーに買い物に行って、つぎのものを買いました。
しょうゆのびん（1ℓ《リットル》入り、プラスチックのびん）1本、
たまご（10コ入り）1パック、
とり肉（横はば20センチぐらいのトレーに入っているもの）1パック、
ミニトマト（プラスチックの入れ物に10コ入り）1パック、
じゃがいも（5コ入り）1ふくろ、
食パン（8枚入り）1ふくろ。
買ったものをふくろに入れようと思います。ふくろは1つだけ。どんな順番で入れるのがいいと思う？
「いちばん下に○○を入れて、その上に△△、その横に××を入れて……」と答えてもいいし、絵にかいてもいいよ。

いろんな入れ方があるんだけど、大事なのは、

「こういう入れ方をしたら、家に着くころには、ふくろの中身《なかみ》はどうなってる？」

「あとでふくろから取り出しやすい？」

と**先のことを考える**こと。

たとえば、たまごをふくろのいちばん下に入れたら、家に着くころにはどう

なってるだろう？

他の食べものの重さで、たまごは割《わ》れてるかもしれない。

じゃあ、食パンの上にじゃがいもを置くと、どうなる？

じゃがいもの重さでパンはつぶれちゃうよね。せっかくのパンがだいなしだ。

重たいものは下に入れたり、ふくろのハシのほうに入れる。そうすれば、他の食べものがつぶれないですむ。そして、やわらかいもの、軽いものは上のほうに入れる。

それじゃあ、こんな入れ方（上の絵）はどう？
この入れ方だと、ふくろの中身《なかみ》はどうなる？　あとで取り出しやすいと思う？
たぶん、家に着くまで食パンはつぶれないし、たまごも割れない。でも、たまごのパックは、たてにすると取り出しづらくないかなあ。**自分は**どう思うか、よく考えてね。

「だいじょうぶ、ちゃんと取り出せる」と思うなら問題ない。取り出しづらそうだな、と思うなら、「取り出すとき、どうなる？」と想像《そうぞう》してみて。ギュッとパックをつかんじゃいそう？　ギュッとつかんだら……たまごは割れちゃうかもしれないね。

【答えの例】Q1

など。

じゃあ、しょうゆをいちばん下に置くのはどうだろう?

しょうゆのびんはじょうぶだから、じゃがいもやとり肉の重さで割れる、ということはないかもしれない。でも、万《まん》が一《いち》、割れたら……ふくろの中はどうなる? しょうゆの海だ。割れなくても、ふくろを置くときにびんがへこんだりしないだろうか。

え、そんなことまで考えなくちゃいけないの? めんどうくさいよ……って思った? うん、たしかにめんどうくさい。でもね、「こうしようかな」と思ったとき、「こうしたら、どうなる?」と考えることは大事なんだ。なんでかっていうと、わたしたちは毎日、いろんなことを「こうしよう」ときめて生き

てるから。「きめてる」と思ってないかもしれないけど。

たとえばね、ハサミを使って、テーブルの上に出しっぱなしにしておいたとする。お母さんに「かたづけなさい」と言われて、ほんとうは引き出しに入れなくちゃいけないいんだけど、早く遊びたいから近くのたなの上にポン、と置いたとする。これ、気づいてないかもしれないけど、「たなの上に置いちゃおう」と自分できめてるんだよね。でも、たなの上に置いたら……何が起きるだろう？

次にハサミが必要になったとき、「そういえば、たなの上に置いたんだった」と思い出せれば、問題なく使えるかもしれない。でも、もしも忘《わす》れてたら？　「ない！」と大さわぎしたり、「ちゃんとしまっておかないからでしょ」としかられるかもしれない。たなの上に置いたハサミが床《ゆか》に落ちるかもしれない。そうなったら……そのハサミをふんでケガするかも。いや、だれかにケガさせてしまうかもしれない。

しかられることも、ケガも、「ぜったいそうなる」とは言えない。でも、「ぜったいにそうならない」とも言えない。先のことはわからないからね。

しかられたり、だれかがケガすることになったら、悲しくなると思う。「自分のせいだ」と自分のことをきらいになってしまうかもしれない。そんなこと、してほしくないんだ。

ハサミをたなの上に置くときに、「ここに置いたら、どうなる?」と考えていたらどうなるだろう? 「ハサミが落ちて、あぶないかも」と気づくかもしれない。そうやって、ハサミをちゃんとしまえたら……悲しくなったり、自分のことをきらいになったりしないですむ。「これをやったら、どうなる?」と考えれば、自分と、まわりの人を守ることができるんだ。

「こうしようかな」と思って、ほんとうにやろうと思うなら、やる前に、

「もしもこれをやったら、どうなる？」

と考えるクセをつけてほしい。

最初はたいへんでも、クセになれば、いろんなことを自分できめられるようになる。

たとえば、出かける前にトイレに行こうかな、でもめんどうくさいな、と思ったとき。「トイレに行かないと、どうなる？」と考えられれば、「とちゅうでトイレに行きたくなって、こまるかも」と気づくかもしれない。お母さんに言われたから行くんじゃない。自分で考えて、自分できめるんだ。

どっちにしようかな、とまよったときも「どうなる？」と考えるといいよ。たとえば、写真《しゃしん》クラブと運動《うんどう》クラブ、どっちに入ろうかまよったら、「写真クラブに入るとどうなる？」「運動クラブに入るとどうなる？」と考える。「写真クラブにはなかよしの友だちがいないから、さみしいかも」「運動クラブは友だちはいるけど、人数が多くて、好きなことができないかも」と思ったとする。そうやって考えていくうちに、「友だちがいなくても、気にならないかも」と思うかもしれない。そうすれば、自信をもって「写真クラブにしよう」ときめられるよね。

Q2

自分のたんじょう会をするとしたら、どんな会にしたい？　いつ、どこで、だれをよぼうか？　何をして遊ぶ？　飲みもの・食べものは何にする？　表に書き出してみよう。

いつ（日にち・何時から何時まで）？	
どこで？	
だれをよぶ？	
何をする？	
飲みもの・食べものは何にする？	

＊この問題にも正解《せいかい》はないよ。

Q3

Q2で書いたことを、ほんとうにやったら、何が起きる？

「いつ？」「どこで？」「だれをよぶ？」「何をする？」「飲みもの・食べものは何にする？」それぞれについて、考えてみよう。

＊この問題にも正解はないよ。ここでは、Q2の答えをもう一回書かなくてもいいからね。

いつ（日にち・何時から何時まで）？	
どこで？	
だれをよぶ？	
何をする？	

飲みもの・食べものは何にする？

Ｑ２は、「こんなことしてみたい！」と思うことをどんどん紙に書いてね。やりたいなあ、と思ってることについて考えるときは、

自分はどうしたいか、正直《しょうじき》に考える↓「これをやったら、どうなる？」と考える

という順番にするといいよ。最初から「これをやったら、どうなる？」と考えると、自分はほんとうに何をしたいのか、わからなくなるから。

正直に考えたら、「ほんとうにこれをやったら、どうなる？　何が起きる？」と考える。これがＱ３だね。

「どうなる？」と考えるときのコツは、とにかくリアルに考えること。ん？　まかせといて、だって？「家でずーっとゲームをやったらどうなるか……ボクも友だちもホントにハッピーで、そんなハッピーな子どもたちを見たらお母さんもウキウキして、世の中、大ハッピー」だって？　そ、そうかなあ。それって、「こうなったらいいなあ」ってことじゃないかなあ。

「こうなったらいいなあ」じゃなくて、この場所で、この時間に、この人たちと、このことをすると、**ほんとうに何が起きる？**　と想像するんだ。

【答えの例】

Q２

・いつ？　2月9日（日）10時〜3時

・どこで？　うち
・だれをよぶ？　◯◯ちゃん、□□くん、△△ちゃん
・何をする？　家でずーっとゲーム
・飲みもの・食べものは何にする？　フライドポテト、ピザ、チョコレートケーキ、オレンジジュース

Q3
・2月9日（日）、10時〜3時にたんじょう会をしたら、どうなる？——10時スタートは早すぎる、とお母さんに言われるかも。5時間は長いかな。
・うちでたんじょう会をやったら、どうなる？——そうじを手伝わされる。
・◯◯ちゃん、□□くん、△△ちゃんをよんだら、どうなる？——ぜったい楽しい！
・ずーっとゲームをやると、どうなる？——めちゃくちゃ楽しい！　お母さんはイヤがるかも。
・飲みもの・食べものをそのまま準備《じゅんび》したら、どうなる？——チョコレートがきらいな人がいたら、ケーキを食べられない、など。

たとえば、Q2で「時間は10時~3時」と書いたとする。でも、「もしもほんとうに、10時から3時までたんじょう会をやったら、どうなる?」と考えてみると、お母さんに「10時は早いでしょ」と言われそうだなあ、と思うかもしれない。「○○ちゃんは、日曜の朝は水泳《すいえい》だと言ってたな」と思い出すかもしれない。この時間でだいじょうぶかどうか、お母さんや友だちにかくにんしたほうがいい、ということがわかるよね。

飲みもの・食べものについてはどうだろう。あなたはチョコレートケーキを食べたいけど、来てくれる友だちの中に、チョコがきらいな人がいたら? 小麦アレルギーの人はいないかな? チョコレートケーキを出してもいいか、友だちやおうちの人に相談したほうが良さそうだ。

「どうなる?」と考えると、考えなおしたほうがいいこと、やっておかなくちゃいけないことが見えてくるんだ。

では、次のクイズ。

Q4

クラス全員で、ひさしぶりにおにごっこをすることになりました。でも、あなたは右の足首をねんざ（手や足に力がかかって、手や足がいたんでしまうこと）していて、お医者《いしゃ》さんからは「あと1週間は走っちゃダメ」と言われています。みんな、「早くやろう」ともりあがっていて、おにごっこをしない人はいなさそうです。
ここで、問題。おにごっこ、する？　しない？
＊「おにごっこをしたら（または、しなかったら）どうなる？」と考えてね。
＊＊この問題に正解はないよ。

Q5

Q４でおにごっこを「する」と答えた人へ→おにごっこをして、ねんざがひどくなったら、どうなる?

Q４でおにごっこを「しない」と答えた人へ→クラスの人に「あんなねんざ、たいしたことないのに」と悪口を言われたら、どうなる?

＊この問題にも正解はありません。

Q4でおにごっこを「する」と答えた人は、「足はどうなる?」「おにごっこをしたら、どれくらい楽しいかな?」なんてことを考えてから、答えられたかな。

おにごっこを「しない」と答えた人は、「おにごっこをしない間、何する?」「どんな気持ちになる?」とか、おにごっこをしない間、「何が起きるか」を考えていればオーケーだ。

Q5は、「おにごっこをして、ねんざがひどくなったら、どうなる?」「クラスの人に『あんなねんざ、たいしたことないのに』と悪口を言われたら、どうなる？」と聞いてるよね。

「ねんざがひどくなる」というのは、おにごっこをしたら起きるかもしれない**「最悪《さいあく》のこと」**だ。そして、「クラスの人に『あんなねんざ、たいしたことないのに』と言われる」は、おにごっこをしなかったら起きるかもしれない、最悪のこと。Ｑ５は「最悪のこと」が起きたらどうなる？　と聞いていたんだ。

サイアクってさぁ……なんでそんな暗いことを考えなくちゃいけないのかって？

うん。暗いことなんか、考えたくない。でもね、最悪のことを考えると、自分がやろうとしていることに、かくごがあるかどうか、わかるんだ。


みんなは、ずっと続けてきたことをやめたいと思ったこと、ある？　おけいことか、学校とは別にやってる勉強とか、家の手伝いとか。たとえば……。

ずっと通っていた水泳教室を「やめたいな」と思ったとする。「やめたら、どうなる？」「続けたら、どうなる？」もちゃんと考えてみた。つまり、「やめたら、水泳の友だちには会えなくなるけど、放課後に学校の友だちと遊べる。バタフライができなくても、もう泣かなくていい」「続けたら、ますます水泳がきらいになる。高学年になったとき、水泳のせいで勉強の時間がなくなる」

【答えの例】

Q4　「おにごっこをする。足はひどくなるかもしれないけど、みんなでやるおにごっこはすごく楽しいから」「おにごっこはしない。おにごっこはそんなに好きじゃないし、走ってねんざがひどくなったらイヤ」など。

Q5　Q4でおにごっこを「する」と答えた場合――「ねんざはひどくなっても、いつかなおるからだいじょうぶ」など。

Q4でおにごっこを「しない」と答えた場合――「『あんなねんざ、たいしたことないのに』と言われたら、イヤだ」など。

なるほど。やめたら楽しそうだし、続けてもいいことがなさそうだ。じゃあ、やめようか。

いや、ちょっと待って。ほんとにやめちゃってだいじょうぶ？　やめるのが悪いって言ってるんじゃない。でも、もう少し考えたほうがいいんじゃないかな。1年後のこととか、考えた？

なんで1年後のことを考えるのかって？

それはね……たとえば1年後、学校で、年に1度の水泳記録会があったとする。水泳教室に通ってたころは、記録会になるとみんなに「すごい！」って言われてた。でも、今回は記録が悪くて、くやしい思いをしたとする。そんなとき、「水泳、やめなければよかった」と思わない？　「あのとき、お母さんが止めてくれなかったからだ」と人のせいにしない？

「これをやったらどうなる？」と考えるとき、私たちはつい、いいことばかり想像してしまう。でも、起きるのはいいことばかりじゃない。悲しいけど、悪いことも起きる。水泳の記録会みたいにね。

悪いことが起きてから、「あんなこと、きめなきゃよかった」とか「こんなことになったのは、あの人のせいだ」なんて思うのは悲しすぎる。人のせいにするなんて、ずるいよ。

「自分できめる」ってどういうことか、考えたことある？　自分できめるというのは、自分できめたことのせいで、もしもひどい目にあっても、**「自分できめたんだ、だから、人のせいにしない」**ということだ。どんなにひどい目にあっても「人のせいにしない」と思えるかどうか。それをわからせてくれるのが「最悪のこと」なんだ。

最悪なことが起きたら、だれだってイヤだ。でも、そうなっても、「自分できめたことだから」とがんばれるかな？　「がんばれる」と思うなら、これからやろうとしていることにかくごがある、ということだ。「がんばれない」と思うなら、やめればいい。かくごがないんだから。

ねんのために言っておくけど、「かくごがある」と思わなくちゃいけない、ってことじゃないよ。かくごがあるかどうかは、自分で考えるんだ。自分でいっしょうけんめい考えて、出した答えが正解なんだ。

「かくご」だなんて大ゲサだなぁ、と思う人もいるかもしれない。たしかに、「これからおふろに入ろう」とか「校庭で遊ぼう」とか、毎日フツーにやってることについて、かくごを考える必要はないかもしれない。

でも、大事なことをきめるときは、かくごが必要になる。なんでかって？　それは、あなたにとって大事なことだから。他の人にとって大事かどうか、そんなことは考えなくていい。水泳でも、おにごっこでも、「ああ、どうしよう」となやんでしまうことは、きっと、あなたにとって大事なことなんだ。

ちょっとここで、ミニ問題。

もしも宿題をやらなかったら、何が起きると思う？　起こるかもしれない「最悪のこと」を考えてみて。

先生にしかられること？　先生にしかられるぐらいじゃ「最悪」じゃない？　じゃあ、先生がうちに電話して、先生とお母さんと3人で話し合うことになったら「最悪」？　それとも、いのこりをさせられるだけで「最悪」？

何が「最悪」かは人による。自分にとって「最悪」なことを考えてね。そうしないと、自分にかくごがあるかどうか、わからないから。

大事なことをきめるときは、「最悪のこと」を考える。そして、自分にとって「最悪のこと」がわかったら、

「もしもそんな最悪なことが起きても、『自分できめたことだから』とがんばれる？」

と考えてみて。それでもわかんない！　というときは、

「15歳《さい》の自分はどう思うかな？」

と考えてみて。4、5年先の自分を想像してみるんだ。15歳のあなたは何をしてるだろう？　お母さんより背《せ》が高くなってるかな？

部活は何をしてる？　今好きな芸能人《げいのうじん》（本でもゲームでもいいよ）のこと、まだ好きかな？　そんな15歳のあなたが、「今の自分」を思い出したらどんな気持ちになるだろう？　「やめてよかった」と思えそう？　それなら、やめていいかもしれない。「後《こう》悔《かい》するかも」と思うなら、考えなおしたほうがいいんだ。

練習5

アイデアを出す

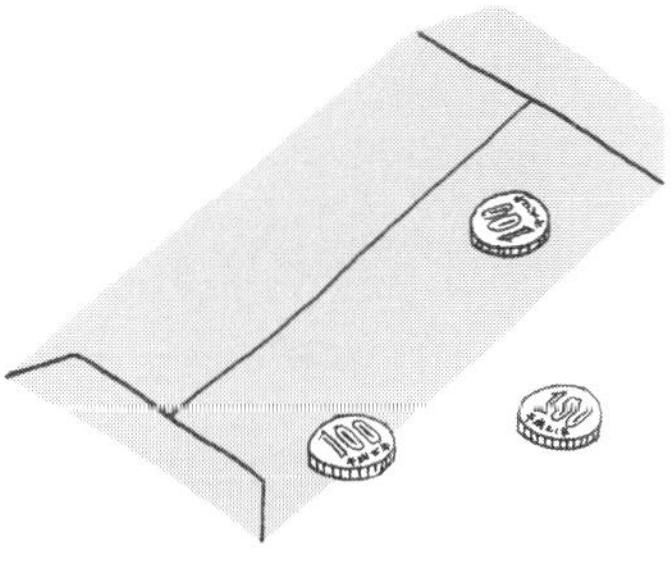

Q1

答えが「東京」になる質問《しつもん》を、なるべくたくさん考えてみて。

どんな質問でもいいからね。

＊この問題に正解《せいかい》はないよ。

どんなものを思いついたかな？

「T・O・K・Y・O。これを読むと？」だって？　おもしろいなあ。

東京に親《しん》せきや友だちのいる人は、「○○ちゃんが住んでいるところは？」などとしてもいいし、「『と』で始まる都道府県には栃木《とちぎ》、富山《とやま》、鳥取《とっとり》、徳島《とくしま》がある。あと1つは？」なんて質問でもいい。

大事なのは、とにかくたくさん考えること。

「こんな質問、バカだと思われないかな」とか「こんなの、あたり前すぎてダメじゃない？」とか、気にしなくていい。とにかく答えが「東京」になればいいんだ。

「国会議事堂のある都道府県は？」みたいな社会のテストのようなものでもいいし、「ローマ字で5文字。最初の2文字とうしろの3文字を入れかえると『京都』になる街《まち》は？（TOKYOのTOとKYOを入れかえると、KYOTO――京都――になる）」のようなクイズっぽいものでもいいよ。

え、「東京ディズニーランドがある都道府県は？」だって？　それは答えが東京じゃないからダメだあ（答えは、千葉県《ちばけん》）。

この「練習5　アイデアを出す」では、「いろいろ、たくさん考える」ということをやる。

他の人とカブる答えでもいい。思わず笑っちゃうような答えでもいい。問題に書いてあることをちゃんとやってくれさえすれば、どんな答えも100点だ。

【答えの例】

Q1「2020年のオリンピック開催地《かいさいち》（＝行われる場所）は？」

「日本の首都《しゅと》は？」など。

Q 2

子どもが学校でぜったいにやらないことを5つ、あげてみて。

＊この問題にも正解はないよ。

前にこのクイズをクラスでやったら、「大人になる」「ゾウを飼《か》う」なんて答えた人もいたけど、むずかしい……ってなやんでた子もいた（むずかしい、と思うことは悪いことじゃない）。

むずかしいなあ、と思った人は、

①学校だからやらないこと
②学校にないからできないこと
③学校の中でも外でも、とにかく子どもがやらないこと

と分けて考えるといいよ。

①の「学校だからやらないこと」はつまり、「他の場所ではやるけど、学校だからできない・やらないこと」だ。

他の場所でふだんやってること……たとえば、家でやってることはどうだろう。ペットを飼《か》うとか、寝《ね》るとか、おやつを食べながら本を読むとか。答えに

なりそうなものを思いついたら、

「これ、ぜったいに学校でやらない？」

と考えてみて。

「ペットを飼う」「寝る」「おやつを食べながら本を読む」はぜったいに学校でやらない？

学校でウサギなんかを飼うこと、あるなあ。寝るのは……ぐあいが悪いと、保健室《ほけんしつ》で寝ることもある。じゃあ、おやつを食べながら本を読むことは？　うん、これは、たぶん学校ではやらないね。

【答えの例】

Q２「おやつを食べながら本を読む」「電車に乗る」「結婚式《けっこんしき》をあげる」「ゾウを飼う」「お酒を飲む」など。

次に、②の「学校にないからできないこと」も考えてみようか。

学校にないものには何がある?

お風呂《ふろ》、ガチャポン、駅……もっとあるよ（考えてみてね）。たぶん、学校にお風呂はないからお風呂は入れない。ガチャポンもないからできないし、駅もないから、電車に乗ることもできないね。

そして、③の「学校の中でも外でも、とにかく子どもがやらないこと」には何があるかというと……結婚式をあげるとか、お酒を飲むとか、車を運転するとか。そういうことは「学校でも」やらないよね。

Q3

もしもお金がチョコでできていたら……どうなると思う？
思いつくだけ、あげてみてね。

＊この問題にも正解はないよ。

お金がチョコでできていたら……何が起きるかなあ。
暑くなると、とけちゃうよね。サイフがベタベタにならないように、「冷《つめ》た

～いサイフ」なんてものが売り出されるかな。それが高かったらイヤだなあ。

お金はサイフの中にあるとはかぎらない。たとえば、自販機《じはんき》（自動販売機《じどうはんばいき》）の中にもある。自販機の中のお金がとけると、どうなる？　たぶん、自販機の中がつまる。つまると、自販機が動かなくなって、好きなジュースが買えなくなるかも。

お店で売ってるチョコは盗《ぬす》まれたりしないかな。ちょっと心配だ。ところで、チョコがキライな人はどうするんだろう。チョコのにおいがイヤで、お金を捨《す》てたくなって、チョコ好きの人ばかりがお金持ちになるとか？

うーん、お金がチョコになると、悪いことばっかりなのかな……。

まさか、そんなことはない。良いこともある。

たとえば、おなかが空いて、食べものを買いたいけどサイフに5円しかないとき。お金を食べればいい（「またお金を食べて！」としかられるかもしれないけど）。あとね、銀行強盗《ぎんこうごうとう》が来たら、銀行にあるお金を全部とかして、ただのチ

ヨコにして、強盗を追いはらえるかもしれない。

お金がチョコになったら起きそうなことは、まだまだある。良いことも、悪いこともね。いろいろ考えてみて。

いきなりヘンなことを聞くけど……み

【答えの例】

Q3「夏になるとサイフの中身《なかみ》がとけてベタベタになる」「お金のチョコと食べもののチョコの見わけがつかなくなる」「食べもののチョコをとかしてニセのお金を作ろうとする人が出る」など。

んなは「最近、悪いことばっかり」と思ったこと、ある？　それとも、だれかがそう言ってるのを聞いたことある？

たとえば、ある日、遅刻《ちこく》して、車にひかれそうになって、友だちとケンカして、宝物《たからもの》をなくしちゃったとする。さんざんな1日だ。「悪いことばっかり」と言いたくもなる。

でも、どんなにツイてなくても、「悪いことばっかり」なんてことはないんだ、きっと。

もしもタイムマシンに乗って、さんざんだったその日に行って、ビデオをとれたとしたら……そこには、いろんなことが映《うつ》ってるはずだ。悪いことも、良いことも、フツウのことも。

たとえば、ケンカしたあと、クラスの別の子が、「だいじょうぶ？」とやさしく声をかけてくれていたとしたら、どうだろう。どんなにひどいケンカでも、そのあとだれかにやさしくしてもらったことは「良いこと」じゃないかな。

あとね、「悪いこと」も見方《みかた》を変えれば「良いこと」と思えることもある。たとえば、車にひかれそうになってたいへんだったけど、「ひかれそうになった」ということは「ひかれなかった」ということだよね。ひかれなかったこと、今生きていることは、ほんとうに良いこと、すばらしいことだ。

「悪いことばっかり」と思ったら、こう考えてほしい。

もしもクラスで、「悪いことばかりじゃありません。なぜかというと……」と発表するとしたら、なんて言う？

きっと、良いことが見つかると思う。

Q4

横はば30メートルの川があります。川の向こうがわに行きたいのですが、川には橋がなく、あなたは泳ぐことができません。川の向こうがわに行く方法を、思いつくだけあげてください。

＊この問題にも正解はないよ。

今までの問題もそうだけど、この問題も、「書いてあるとおりにする」ことが大事。そして、「書いてあるとおりにする」というのは、「問題に書いてあること以外は、自由にきめていい」ということだ。
問題文をよく読んでね。問題文に書いてあるのは、

・川の横はばは30メートル
・川の向こうがわに行きたい
・川に橋はない
・あなたは泳げない
・川の向こうがわに行く方法を、思いつくだけあげる

書いてあることを変えてはいけないから、たとえば、川の横はばを1メートルにするとか（飛びこえて反対がわに行けちゃうよ）、「私は泳げるから、泳げることにする」なんてことはやってはいけないんだ。

でも、問題に書かれていないことは、自由に考えてきめていい。たとえば、

川の深さとかね。プールぐらいの深さにしてもいいし、すごく浅い川にしてもいい。「教室のつくえをずらっとならべて、その上を歩く」なんて答えを言った子もいたよ。

それと、1つ聞いていいかな？

「川の向こうがわに行きたい」とか「川の向こうがわに行く方法」と読んで、今すぐに向こうがわに行かなくちゃいけない、と思った？　問題には「いつまでに」川をわたってください、なんて書いてないよね。

この「練習5　アイデアを出す」に出てくる問題は、「とにかく問題に書いてあることだけを考える」ことがとても大事なんだ。「ふつうはこういうふうだから」と問題に書いてないことまで考えちゃダメだよ。そんなことをしたら、考えるのが楽しくなくなって、答えが出づらくなってしまう。

Q4には、「いつまでに」反対がわにわたらなくちゃいけない、なんてことは書いてない。だから、3日かかっても、1ヶ月かかっても、一生かかって

も、とにかく川の向こうがわに行ける方法を考えられればいいんだ。というわけで、「水泳を習いに行く（1年後には泳いでわたれるかも）」「橋を作るための活動をする（40歳《さい》になるころには橋ができてるかも）」なんて答えもマル。

【答えの例】

Q４「ボートを借りる」「泳げる人が来るまで待って、その人におんぶしてもらう」「大きな石をたくさんさがしてきて、川に投げ入れて、その石を足場にしてわたる」（上の絵）など。

Q5

ある日、家に帰ると、つくえの上にあなた宛《あ》てのふうとうが置いてありました。開けてみると、中には300円が入っていて、「だれかをハッピーにするために、この300円を使ってください」と書いてありました。さあ、だれを、どんなやり方でハッピーにする？

ハッピーにする方法と、なぜハッピーになれるのか、理由も答えてね。

＊この問題にも正解はないよ。

＊＊300円以外にも、自分の持っているもの（本、電話、エンピツ、友だちなど）を使ってもいいよ。でも、使えるお金は300円だけ。301円使う、なんてのはナシね。

＊＊＊300円はなるべく全部使ってほしいけど、50円ぐらいなら残

ってもかまわない。

「ひらめいた！」と思った人、おめでとう。

わかんない、と思った人、心配しないで。問題には「早く答えた人が勝ち」なんて書いてない。あせらなくていい。友だちといっしょに考えてもいいんだよ。

そして、この問題もさっきの川の問題といっしょで、「いつまでに」ハッピーにしなければいけない、とは書いてないよね。だから、たとえば、「300円を地面にうめて、うめた場所を見つけるためのナゾナゾを作って紙に書いておく。ナゾナゾは大事にとっておいて、将来《しょうらい》、自分の孫《まご》にわたして、300円さがしをしてもらう。孫も自分もハッピーになれると思う」なんてものでもいいんだ。

この問題の考え方はいろいろあるんだけど、ここで、私が考えやすいと思う方法を2つ、紹介《しょうかい》しておくね。あ、でも、「こういう考え方をしなきゃダメ」ということじゃないよ。どんな考え方でもいい。とにかく300円を使ってだれかをハッピーにする方法を考えられれば、それでいいんだ。

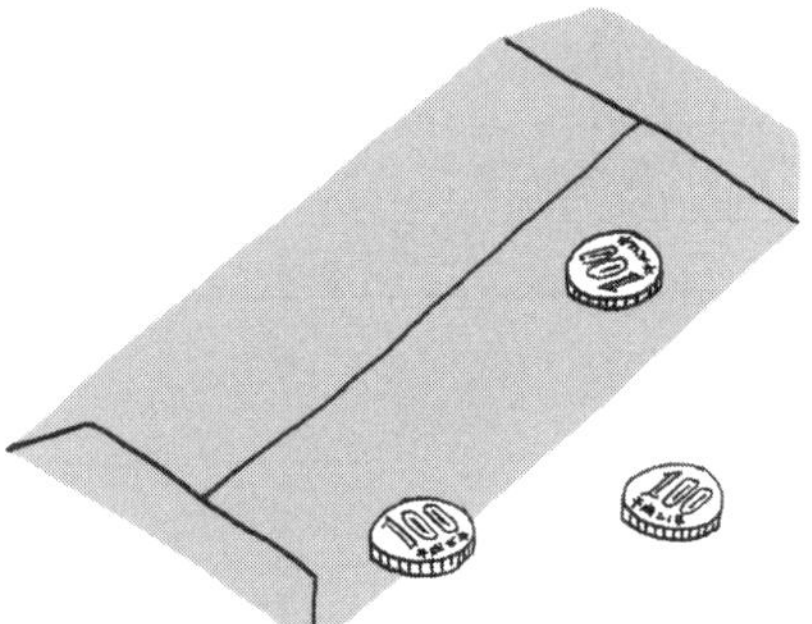

考え方① 300円でできることを、いろいろ考える

300円あったら、何ができる?

アイスなら、いくつ買えるかな。電車やバスに乗ると、どこまで行けるだろう？　300円でどこまで行けるか、調べてみるのもいいね。それとも、寄付《きふ》（ある目的のために「このお金を使ってください」とわたすこと）する？　どんな寄付ができるか、調べてみようか。

寄付でも、アイスでも、なんでもいい。「これがいいかも」と思ったら、その方法でだれをハッピーにできるか、考えよう。

考え方②　だれをハッピーにしたいか、考える

だれをハッピーにするかをきめてから、300円の使いみちを考えることもできる。

あなたは、だれをハッピーにしたい？　毎日会う友だち？　転校した友だち？　おうちの人でも、あこがれの歌手やスポーツ選手でも、動物でも、自分

でもいい。いちばんの「だれか」をえらぼう。えらんだら、300円でどうやってその人（動物）をハッピーにできるか、考えてみてね。

たとえば、転校した友だちを「ハッピーにしよう」ときめたとする。300円をどう使う？　好きなものをプレゼントする？　プレゼントを送るとしたら、送るためのお金も必要になるよね。いっそのこと、会いに行く？　それとも、カードと切手を買ってきて、クラスのみんなでカードを書いて送る？

なんでもいい。あなたが「こうすればこの人（動物）はハッピーになるはず」と思えるものをえらぼう。カードを送ろうか、会いに行こうか迷《まよ》ったら、「カードを送ったらどうなる？」「会いに行ったらどうなる？」と考えて、よりハッピーになってくれると思うほうをえらぶといいよ。

どんな考え方でもいいんだけど、この問題でいちばん大事なのは、

楽しむこと！

だ。

【答えの例】

Q5「ママの会社に行って、ママをギューっとだきしめて帰ってくる。ママはギューされるのが大好きだし、うれしそうにしてるママを見るとボクもハッピーになるから。300円は、行き帰りの電車賃《でんしゃちん》に使う」

「300円でようかんを買って、病院にしのびこんで、病院の食事にようかんをこっそり入れる。おじいちゃんが『病院のごはんはおいしくない』と言ってたけど、おいしいようかんを入れれば、きっとみんなハッピーになる」

「300円を10円、5円、1円玉にくずして、コンビニのレジの前に立つ。あと10円あれば、1円あればこれが買えるのに……と悲しい思いをしてる人に、10円や1円をわたしてあげる」など。

この問題はテストじゃない。たぶん、宿題でもない。「わかんない、どうしよう」と苦しく考えてしまうと、ますます考えられなくなってしまう。３００円で何をしようかな、だれのことを喜ばせようかな、とウキウキしながらたくさん考えてくれるとうれしい。

「楽しむこと」と「どんなやり方で考えてもいい」というのは、考えるときにとても大事なことだから、おぼえておいてね。

考えることを楽しめないと、いつか、考えることがきらいになって、「考えない人」になってしまうかもしれないから。

そして、「どんなやり方で考えてもいい」というのは、じつは、

12＋18＝

みたいな算数の問題を考えるときと同じなんだ。

12＋18の答えを出すための考え方はいろいろある。あなたなら、どうする？　2と8をたすと10になるから、それにまた10を2つたして……と考える？　それとも、12と18は6で割《わ》り切れるから、12を「6が2つ」と考えて、18を「6が3つ」とすると、6が全部で5つあることになるから、6×5で30、とする？

そんなめんどうくさいやり方、しない？　でもね、中には、「めんどうくさいやり方」が向いてる人もいる。考え方に正解はない。いろんな考え方をためして、自分にぴったりくるやり方を見つけてほしい。

練習6

わかったつもり

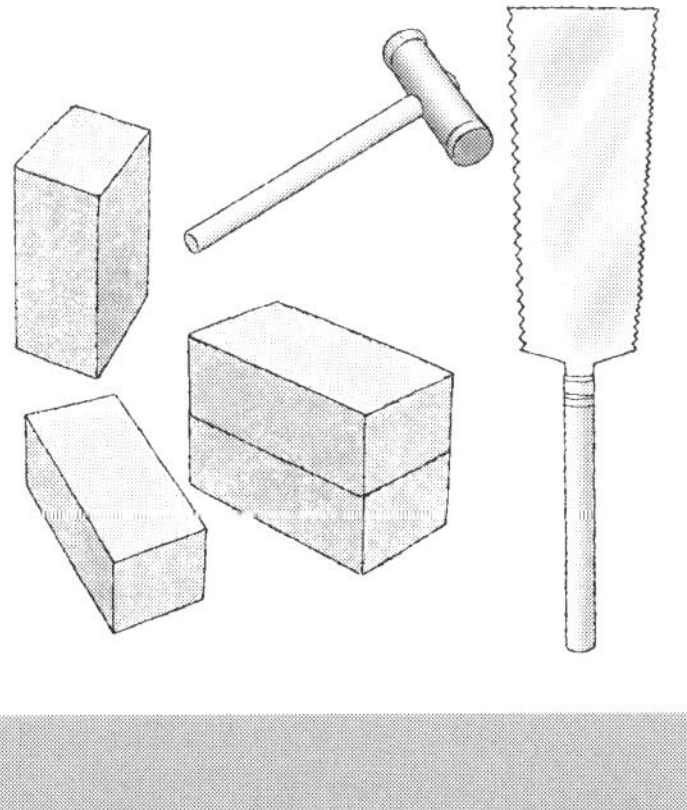

「3びきの子ブタ」のお話、知ってる？　子ブタたちが家を建てて、そこにオオカミがやってきて……という話。

知ってる人も、知らない人も、まずはお話を読んでほしい。あとでクイズをするよ。

三びきの子ブタ

三びきのきょうだいの子ブタがいました。ある日、おかあさんが子ブタたちに言いました。

「あなたたちはもう大きくなったんだから、自分のおうちを建てなさい。オオカミに食べられないように、じょうぶな家をつくりなさいね」

いちばん上のお兄さんは、わらの家を建てました。

「さっさかさ、はいさっさ。もう、できた」

二番目のお兄さんは、木の家です。のこぎりで木を切って、かなづちでトントントン。

「ぼくも、できたよ。かんたん、かんたん」

三番目の弟は、レンガの家です。

「オオカミが来ても、あらしが来てもこわれない、じょうぶな家をつくるんだ」

三番目の弟は、あせをぐっしょりかきながら、こつこつレンガをつみあげていきます。

「まだ、できないのか。のろまだな」

お兄さんたちは、大わらい。そして、毎日遊んでばかりいました。

そんなある日、オオカミがやってきました。

「はらがへった。子ブタを食ってやろう」

オオカミはわらの家にむかって、ぷーっ！

「わあっ！　家がとばされたぁ！」

いちばん上のお兄さんは、木の家ににげこみました。オオカミがおいかけてきて、

「こんな家、ひとふきだ。ぷうーっ！」

木の家も、ふきとばされてしまいました。

「助けてぇ！」

お兄さんたちは、三番目の弟のレンガの家ににげこみました。

「へん。こんな家もついでに、ぷう、ぷう、ぷーーっ！」

ところが、オオカミが息をふいてもふいても、レンガの家はびくともしません。

「よーし、えんとつから入ってやる」

オオカミが屋根にのぼる音が聞こえると、三番目の弟はお兄さんたちに言い

ました。

「だんろのまきに火をつけて。急いで！」

子ブタたちは、どんどん火を燃《も》やしました。なべのお湯がぐつぐつわいていま す。オオカミはそこにとびこんだから、さあたいへん。

「ひゃあーっ、あちち。助けてえ！」

オオカミは、あわててにげていきました。

（ＰＨＰ研究所編『考える力を育てるお話３６６』より）

読み終わったところで、１つ質問してもいいかな。

わからないところ、あった？

ごめんごめん、バカにしてるんじゃないんだ。ねんのための確認《かくにん》。「わからないところなんて、ない」という人がほとんどじゃないかな。

えっ、「どうして動物がしゃべったり家を建てられるのか、わからない」って？　たしかにそのとおりなんだけど、えー、それは気にしないことにして……。

じゃあ、お約束のクイズね。

第1問。

このお話の「場所」はどこ？

なになに、「野原」だって？　むかし読んだ絵本には野原みたいな絵がかいてあったから？　あ、ごめん、絵本のことはちょっと忘《わす》れてもらってもいいかな。みんなに考えてもらいたいのは、絵のない、152〜155ページにあったお話だ。

そういえば、「天国」と答えた子がいたなあ。理由は、「ブタやオオカミが、人間のことばを話すとか家を建てるなんて、あり得ないから」。地球ではあり得ないことも、天国ならできるはず、と言ってた。おもしろいなあ、と思ったよ。

ところで、天国って行ったことある？　たぶんないと思う（私もない）。天国に行ったことのある人と話ができれば、「天国では、動物が人間のことばを話したり、家を建てるの？」と聞いてたしかめられるけど、たぶんできない（だって、行ったことのある人は死んでしまってるはずだから）。だから、このお話の場所が「天国」かどうか、はわからないんだよね。

じゃあ、いったい場所はどこなんだろう。お話をもう一度読んで、ヒントになりそうなところをさがしてみよう。

※このクイズに正解《せいかい》はないよ。答えるときは、「ここに～と書いてあるから、場所は◯◯だと思う」というふうに、必ずお話の中から証拠《しょうこ》を見つけてね。

場所のヒントになりそうなところ、見つかった？　たとえば、

「あらしが来てもこわれない、じょうぶな家をつくるんだ」（三番目の弟のセリ

フ）

はどうだろう。ここを読むと、「このお話の場所では、あらしが来ることがある」ということがわかるね。あと、「どんどん火を燃やしました」はどうかな。ここからわかることは、この場所では火を燃やせる、ということ。

ヒントは他にもある。

子ブタたちは、わら・木・レンガの家を建てたんだよね。そして、二番目のお兄さんは、のこぎり・かなづちを使ってる。さらには、最後はなべでお湯をわかしてるよね。家の材料や、のこぎりなどの道具をどこから運んできたのかはわからない。でも、お母さんに「自分のおうちを建てなさい」と言われてすぐ建て始めたみたいだから、たぶん、わら・木・レンガ・のこぎり・かなづちがかんたんに手に入る場所なんだと思う。そして、そこには、なべもあるんだ。

でも、それってどこ？

ここで、ヒントをまとめておこうか。このお話の場所は、

・ブタやオオカミがいる

・あらしが来ることがある

・火を燃やせる

・わら・木・レンガ・のこぎり・かなづち・なべが、かんたんに手に入る

ブタやオオカミは、陸の上に住んでる。そして、ブタはふつう、人間が飼《か》ってる。ということは、このお話の場所はもしかしたら、私たち人間が住んでいるところなのかもしれない。人間が住んでる場所なら、レンガやかなづちなどがすぐ手に入るからね。人間が住んでる場所で、ときどきオオカミがやってくるということは——森や山なのかもしれない。

オオカミやブタは、砂漠《さばく》みたいな乾燥《かんそう》したところでも生きられるらしい。でも、砂漠には、木も水もほとんどないよね。木がなければ、二番目のお兄さんは家を建てられないし、水がなければ、お湯をわかすのもむずかしそうだ。ということは、やっぱり森や山で、そばに川や湖、あるいは水道があるところかもしれない。そういう場所なら、水もかんたんに取ってこられるよね。

あれ、ちょっと待って。

さっき、「わからないところ、あった？」と聞かれたときは、「わからないところなんて、ない」と思ったんだよね。なのに、場所については、じつは、わかってなかったんだ。これはいったい、どういうことなんだろう？

これについてはあとでいっしょに考えることにして、次のクイズ、行こうか。

第2問。

季節はいつ？

※このクイズにも正解はないよ。さっきの「場所」のクイズと同じように、お話をもう一度読んで、ヒントになりそうなところをさがしてみよう。

どんなヒントが見つかったかな？

「三番目の弟は、あせをぐっしょりかきながら、こつこつレンガをつみあげて」とあるけど、ここからわかるのは、「あたたかい時期なのかもしれない」ということ。冬でも部屋の中ならあたたかいかもしれないけど、三番目の弟がいたのは、たぶん外だ。レンガをつみあげている最中だったからね。

それと、三番目の弟は最後のほうで、

「だんろのまきに火をつけて」

とお兄さんたちに言ってるよね。ここも季節のヒントにならないかな？

もともと火がついていれば「火をつけて」という必要はない。すごく寒い時期なら、だんろの火はすでについていたんじゃないかな。

ここまで考えたことをまとめると、

・三番目の弟は、レンガをつみあげるときにあせをぐっしょりかいていた

↓あたたかい時期？

・三番目の弟が「だんろのまきに火をつけて」と言った→すごく寒い時期じゃない

そして、どうやら、三番目の弟が心配していた「あらし」はまだ来ていない。ということは……あたたかくて、台風の季節でもない時期？　つまり、春か夏なのかもしれないね。

え、日本じゃないかもしれないから、台風のことを考えなくてもいいんじゃないかって？　するどいね。たしかに、このお話はヨーロッパで生まれたと言われている。ってことは……ちょっと待てよ、動物たちは何語で話してるんだろう。

じゃあ、これをクイズにしよう。

第3問。

子ブタとオオカミが話しているのは、何語？

※このクイズにも正解はないよ。理由をしっかり考えてみてね。

いくつか答えを紹介《しょうかい》しよう。

まず、「日本語」。理由は、１５２〜１５５ページのお話のセリフはすべて、日本語で書かれているから。

「動物語」。理由は、動物が話してるから。

「ことば」なんて話してない、という答えもあったよ。理由は「ブタやオオカミは、ことばじゃなくて、音を出してるから」。

他にも、子ブタは「ブタ語」、オオカミは「オオカミ語」をそれぞれ話してる、という答えもあった。なんでかって？　オオカミのセリフをもう一度読んで、いっしょに考えてみようか。


「はらがへった。子ブタを食ってやろう」

「こんな家、ひとふきだ。ぷうーっ！」

「へん。こんな家もついでに、ぷう、ぷう、ぷーーっ！」

「よーし、えんとつから入ってやる」

「ひゃあーっ、あちち。助けてえ！」


どれも、ひとりごとだね。子ブタにむかって言ってるわけじゃない。

じゃあ子ブタたちはどうかというと、兄弟どうしで話したり、「あなたたちはもう大きくなったんだから、自分のおうちを建てなさい。オオカミに食べられないように、じょうぶな家をつくりなさいね」というお母さんのことばも理《り》解《かい》してる。でも、オオカミにむかっては何も言ってないね。

つまり、子ブタたちはブタどうしにしかわからない「ブタ語」、オオカミはオオカミにしかわからない「オオカミ語」を話していた――とも考えられるわけだ。

ここまで3つクイズをやってもらったけど、クイズをやってわかったことは、このお話の場所も、季節も、何語で話しているかということも、「わかってなかった」ということだ。最初に「わからないところ、あった？」と聞かれたときは、「わからないところなんて、ない」と思ってたのに。

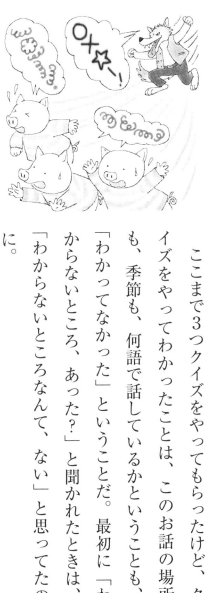

「わからないところなんて、ない」というのは、言いかえると、「書いてあることは全部わかる」ということだったんだと思う。わからないことばはないし、子ブタやオオカミのようすもイメージできた、ということだね。

でも、書いてあることが全部「わかった」としても、場所や季節はわかってなかった。書いてあることはわかっても、お話にかんする、すべてのことが「わかった」わけじゃなかったんだね。

そして、みんなもう気づいているかもしれないけど、クイズをやったあとも、**すべて**わかったわけじゃない。動物が何語で話していたのかはわからないし、場所も、季節も、けっきょくはよくわからない。

じゃあ、クイズなんてやる意味ないじゃない！　としかられちゃうかな。ごめん。でも、クイズがムダだった、ってことはないんだ。

「ぜったいに山」とか「春にきまってるでしょ」とか、答えははっきりわからなかったとしても、クイズをやる前よりは、クイズをやったあとのほうが、このお話をもっとじっくり読んだはずだし、いろんなことがもっと「わかった」はずだ。

たとえば、「何語で話してるか」について考えるまでは、オオカミのセリフがひとりごとだとは気づかなかったかもしれない。場所のことを考えてはじめて、ブタは人間が飼う動物だ、ということを知ったかもしれない。

ことばの意味さえわかれば「すべてわかった」ことにはならないということ。文章に書いてないことについて考えたり、想像《そうぞう》したりすれば、もっと「わかる」ということ。どうか、おぼえておいてほしい。

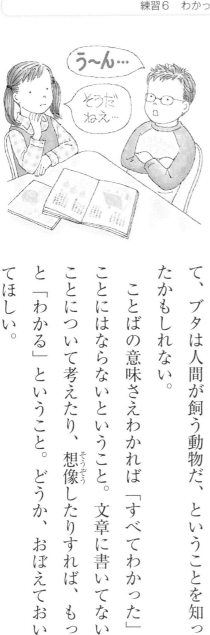

じゃあ、最後の問題。
第4問。

オオカミはこのあと、どうなったと思う?

※この問題にも正解はないよ。

「つかれたから、帰って寝《ね》た」と言ってた子がいたなあ。たしかに、さんざんな目にあったんだもの、帰って寝るかもね。それとも……子ブタのことをおそうのはもうやめよう、と思ったかな。あるいは、バクダンを持ってきて、レンガの家をふき飛ばしちゃったとか？　それとも、警察《けいさつ》につかまった？

ちょっと待って。なんでオオカミが警察につかまるの？　オオカミが悪者だから？　オオカミが子ブタをおそうことは「悪いこと」なの？

オオカミって悪者のイメージがあるよね。赤ずきんのお話では、オオカミがおばあさんと赤ずきんちゃんを食べちゃうし、オオカミ男も、こわいイメージだ。３びきの子ブタのお話で、オオカミのことを「悪いオオカミ」とよんでるものもけっこうある。

でも、本当にオオカミは「悪い」んだろうか。

ここで質問。

「オオカミは悪い」は事実？　意見？

まず、事実と意見についておさらいしておこうか。事実には証拠《しょうこ》がなくちゃいけないんだよね。そして、意見は人が考えたことで、「正しい意見」「まちがった意見」というのはない（え、そうだっけ？　と思った人は44・65ページへ）。

たとえば、「ゲームはおもしろい」は意見。「ゲームはおもしろい」と言った人は、「ゲームはおもしろいにきまってるでしょ。おもしろくないなんて、ありえない」と思ってるかもしれない。でも、「ゲームはつまんない」という人もいる。自分は「ぜったい」と思ってることも、「ぜったい」じゃない。それが意見だ。

そして、「オオカミは悪い」は？　そう、意見だ。

意見には理由がなくちゃいけないんだよね？　じゃあ、「オオカミは悪い」の理由は何だろう？

子ブタを食べようとしたから？　家をふき飛ばしたから？

たしかに、子ブタたちからすれば、自分を食べようとしたり、家をふき飛ばすのは「悪いこと」だ。でも、オオカミの立場で考えたら、どうだろう。子ブタなどの動物を食べるのは、生きていくために必要なことなんじゃないかな。私たちが、生きていくためにごはんを食べるように。

オオカミは「肉食《にくしょく》動物」とよばれる動物で、肉食動物というのは、他の動物の肉を食べて生きてる（だから「肉食」と言うんだね)。生ゴミや虫なんかも食べられるらしいけど、それじゃあやせて、死んでしまう。オオカミが子ブタなんかの肉を食べるのは、「悪いこと」をしてるわけじゃないんだ。生きていくために、あたり前のことをしてるだけなんだ。

じゃあ、なんで、「3びきの子ブタ」のお話を読んだ人はたいてい、「オオカミが悪い」と思うんだろう?

このナゾを解《と》くためには、

このお話は、だれの立場から見て書いたものなのか?

と考えるといいと思う。

ちょっと話は変わるけど、たとえば、あなたが運動会の作文を書くときって、「かけっこで一番になれてうれしかったです」とか「お天気になってよかったです」みたいな感じで書くと思うんだけど、これは、「あなた」の立場から書いてるよね。一番になってうれしかったのはあなただし、お天気になってよかったと思ってるのもあなただ。こういうふうにあなたの立場から書かれたものを、「あなた目線で書いた」というの。

じゃあ、「3びきの子ブタ」のお話は、だれ目線で書いてあるんだろう？　え？　「神様目線」？　子ブタたちのことも、オオカミのこともすべてお見通しだからだって？　おもしろいなあ。

じゃあ、最後にもう一度お話をじっくり読んで、だれ目線で書かれたのか、ヒントをさがしてみよう。

ヒントになりそうなのは、まず、「そんなある日、オオカミがやってきました」と「いちばん上のお兄さんは、木の家ににげこみました。オオカミがおいかけてきて」というところ。

「やってきました」「おいかけてきて」というのは、自分のほうに近づいてきたということだ。「きました」とか「きて」というのは、自分のほうにやってくることだからね。そして、この場合、「自分」はだれかというと——そうだ、子ブタたちだ。

つまり、「そんなある日、オオカミがやってきました」と「いちばん上のお兄さんは、木の家ににげこみました。オオカミがおいかけてきて」という文は、子ブタたち目線なんだ。オオカミ目線で書いたら、「子ブタたちの家のほうにいきました」とか「おいかけていって」なんて表現《ひょうげん》になるからね。

それと、お話の最後のほうはどうだろう。

オオカミが屋根にのぼる音が聞こえると、三番目の弟はお兄さんたちに言いました。

「だんろのまきに火をつけて。急いで！」

子ブタたちは、どんどん火を燃やしました。なべのお湯がぐつぐつわいています。オオカミはそこにとびこんだから、さあたいへん。

「ひゃあーっ、あちち。助けてぇ！」

オオカミは、あわててにげていきました。

今度は「にげていきました」だね。だれからにげていったかというと……そう、子ブタたちだ。

そして、このシーンに書いてあることは全部、レンガの家の中にいる子ブタたちにしかわからないことだ。

「オオカミが屋根にのぼる音が聞こえ」たのは子ブタたちだし、三番目の弟が「だんろのまきに火をつけて。急いで！」と言ったのも、どんどん火を燃やしたのも、お湯がわいていたのも、全部、そこにいた子ブタたちにしかわからないことだ。

ついでに言うと、お話の最初にお母さんブタが「あなたたちはもう大きくなったんだから、自分のおうちを建てなさい。オオカミに食べられないように、じょうぶな家をつくりなさいね」と言ったけど、お母さんがこう言ったということを知っているのは、たぶん、お母さんと子ブタたちだけだ。そして、家を建てている間のようすを知っているのも、子ブタたちだ。

つまり、このお話は、子ブタたち目線で書かれていたんだ。子ブタにとって、オオカミは敵《てき》だ。そんな子ブタ目線で書かれた話だから、オオカミはとうぜん、悪者あつかいだ。だから、読んだ人はたいてい、「オオカミは悪いヤツ」と思ってしまうんだね。

文章を読むときは、その文章がだれの目線で書かれたものなのか、考えてみてね。

ところで、このお話、オオカミ目線で書きなおしたら、どうなると思う？

オオカミから見るとどうなるか。気になる人は、『三びきのコブタのほんとうの話——A・ウルフ談』（ジョン・シェスカ作、岩波書店）を読んでみるといいよ。オオカミは子ブタたちをおそいたかったわけじゃない、どうしてもやりたいことがあったんだ——というお話。ネタバレになるから、これ以上は書けないけど。

「練習3　ほかの人の立場から考える」に出てきた、右半分が白で左半分が黒の車のこと、おぼえてる？　右から見ると白一色に見えて、左から見ると黒一色に見える車。車も、お話も、だれがどこから見るか、で見え方は変わってくる。自分とはちがう見え方をしてる人がいるということを、どんなときも忘《わす》れないでほしい。

練習7

伝える順番《じゅんばん》

とつぜんだけど……ある日、こんなことが起きたとします。

学校の帰り、あなたはAさん、Bさんといっしょに、児童館（本やおもちゃがあって、子どもが自由に遊べるところ）に遊びに行く約束をしていました。ところが、その日は児童館が休みだと知り、「じゃあ公園に行こう」と話していたら、今度は雨が降《ふ》ってきて……すると、Aさんが「うちに遊びにきてもいいよ」と言うではありませんか。Aさんの家に行っていいかどうか、帰ったらお母さんに聞こう！　と急いで家に帰りました。しかし、あれれ、お母さんがいません。そうだ、お母さんは今日、出かけてるんだった、と思い出し、お母さんの携帯《けいたい》に電話をかけました。

プルルルル……。

「もしもし」

「あ、お母さん？　あのね……」

「ごめん、今電車の中だから話せないの。何か大事なこと？　言いたいことがあるなら、一言で言って！」

……え？　一言？　言いたいこと、たくさんあるんだけどなあ。

Aさんの家に行っていいかどうか、だけ聞けばいいのかな。でも、なんでAさんの家に行くことになったのか、説明したほうがいいよなあ。お母さんは、私（ぼく）が児童館に行くと思ってるし、お母さんのことだから、「Aさんのおうちに行くって、あなた、Aさんがいいって言ったの？」と聞いてくるだろうし……。

ここで、問題。

Q1 お母さんにどんな「一言」を言えばいい？　なるべく短い「1文」を考えてみよう。

＊この問題には正解《せいかい》があるよ。

＊＊ヒント「お母さんに、これだけは聞いてもらわないとこまること」は何か、考えよう。

（「答え」は188ページ）

ところで、なんでこんな問題を出したのかって？　それはね、「結論《けつろん》」をしっかり言えるようになってもらいたいからだ。

「結論」の説明をする前に、みんなに1つ聞いてもいいかな？

学校やおけいこで「おうちの人に伝えてください」と言われたことや、相談したいこと、お願いしたいことを、お母さんやお父さんに話すことってあると思うんだけど……話してみたら、「え、どういうこと？」とか「よくわからないよ」と言われたこと、ない？

なんでこう言われちゃうかというと、おうちの人にしてみれば、あなたが何をいちばん伝えたいのか、あなたの話の「いちばん大事な部分」がどこなのか、よくわからないからだ。そして、その「いちばん大事な部分」のことを「結論」というの。

そして、結論はたいてい、「一言」じゃないといけない。こまかい説明はナシにして、「いちばん大事なこと」だけを言う。これが結論だ。

さっきの話の中でお母さんは、「言いたいことがあるなら、一言で言って！」と言ってたね。これは、「結論だけ言って！」と言ってるのと同じなんだ。

結論をしっかり言えるようになれば、「どういうこと？」「よくわからない」と言われなくなる（そして、きっと大人たちは「わかりやすい話し方だね、すごい！」と感動してくれるはず）。

さっきの話をもう一度考えてみよう。

「あなた」がお母さんに伝えたい「いちばん大事な部分」（結論）は何だろう？

そもそもなんで電話したんだっけ？　Aさんの家に行ってもいいかどうか、お母さんに聞きたかったからだよね。きょくたんなことを言うと、「Aさんの家に行ってもいいかどうか」さえ聞ければいいんだ。これさえ聞ければいい、というのは、これがいちばん大事、ということだ。

というわけで、答え（結論）は、

「Aさんの家に遊びに行ってもいい？」

になる。

えーっ、でも、児童館が休みだとか、Aさんが遊びにきてもいいと言ったということも伝えないと、お母さんに「児童館はどうなったの？」「Aさんはいいと言ってるの？」とつっこまれちゃうよ、と言うかもしれないね。

うん、つっこまれるかもしれない。でも、お母さんは「一言で言って」と言ってた。そして、その「一言」というのは「結論」だ。とにかく、いちばん大事なことだけを言わなくちゃいけないんだ。「児童館が休み」とか「Aさんが遊びにきてもいいと言った」というのは、なぜAさんの家に行くことになったのか、という理由だ。理由はもちろん大事だけど、一言で伝えなければいけないとき、結論と理由のどちらが大事かというと――それは、結論なんだ。

Q1の答え

「Aさんの家に遊びに行ってもいい?」(「いいですか」など、ちがう言い方でもいいよ)

じゃあ、伝えるのがもっとうまくなるように、もう1問。

問題に入る前に、ある女の子がお母さんにした、こんな話を読んでほしい。

「図工で小物入れを作るってこの間、言ってたでしょ。それでね、今日、Aちゃんと、どんなのを作ろうかって話してて、私は、髪《かみ》の毛のゴムとかリボンを入れたいなと思ってたんだけど、Aちゃんも同じこと考えてたんだって。私たちって気が合うなあ。それでね、小物入れにはシールを貼《は》ってもいいんだって。どうしようかなあ……。シールを貼りたい人は、来週までに好きなシールを持ってきてください、って先生が言ってた」

Q2

結論《けつろん》はどこ？

＊この問題にも正解があるよ。

Q3

結論の次に大事な部分はどこ？

＊この問題にも正解があるよ。

Q２の「結論」はかんたんだったかな？

え、よくわからなかったって？　心配しなくていい。結論さがしは、くり返しやれば、必ずできるようになる。

結論は「いちばん大事な部分」だよね。つまり、これだけは聞いてもらわないとこまること。または、ぜったい知っておいてもらわないとこまることだ。

さっきの小物入れの話で、「お母さんに、ぜったい知っておいてもらわないとこまること」は何だろう？

どんな小物入れを作りたいか、とか、Aちゃんと同じことを考えてた、という部分はどうだろう。お母さんにぜったい知っておいてもらわないとこまること？　聞いてほしいことだろうけど、ぜったい知っておいてもらわないとこまることじゃないと思う。

お母さんに知っておいてもらわないとこまることは何かというと……「シールを貼りたい人は、来週までに好きなシールを持ってきてください、って先生が言ってた」だ。シールを準備《じゅんび》するのはたぶんお母さんだし、学校に持っていくものは、お母さん（おうちの人）に言っておかなくちゃいけないからね。だから、ここが結論になる。

じゃあ、次は、Ｑ３の「結論の次に大事な部分はどこ？」について、説明しよう。

【Ｑ2の答え】
「シールを貼りたい人は、来週までに好きなシールを持ってきてください、って先生が言ってた」

結論の次に大事なのは、理由だ。なんでかっていうと、理由があると、「そうか！　だからその結論になるんだね」となっとくしてもらえるからだ。理由は、結論をパワーアップしてくれるんだ。

たとえば、「明日はランドセルじゃなくて、手さげで登校だって」とおうちの人に言ったとする。おうちの人は、「え、なんで？」と思うんじゃないかな。そこで、「明日は特別授業《とくべつじゅぎょう》だから」と理由を言えば、「ああ、だから手さげでいいんだね」となっとくしてもらえる。「明日はランドセルじゃなくて、手さげで登校だって」という結論を、「明日は特別授業だから」という理由がパワーアップしてくれるんだ。

小物入れの話の結論は「シールを貼りたい人は、来週までに好きなシールを持ってきてください、って先生が言ってた」だったよね。これの理由、つまり、「なんで、来週までにシールを持ってきてくださいと先生が言ったのか」という部分はどこにあるかというと……。

「小物入れにはシールを貼ってもいいんだって」

だね。

この理由を聞けば、お母さんは「そうか！　だから、来週までにシールを持ってきて、と先生がおっしゃったのね」となっとくしてくれるね。

ところで、話は変わるけど、学校休んだことある？

【Q3の答え】
「小物入れにはシールを貼ってもいいんだって」

休むときってたいてい、おうちの人が学校に電話でれんらくしてくれると思うんだけど、その電話を、もしも、自分がしなきゃいけないとしたら……なんて言う？　何を、どんな順番で伝える？

そこで、次の問題。

Q4

あなたはある日、友だちと公園に遊びに行きました。てつぼうの上に乗っておしゃべりしていたら……バランスをくずして地面にドンッ！と落ち、右の手首をねんざ（手や足に力がかかって、手や足がいたんでしまうこと）してしまいました。お医者《いしゃ》さんからは、「２週間ぐらいでなおります」と言われています。そして、次の日。手首はいたいし、あなたは右ききなのでエンピツもしっかりにぎれず、学校を休むことにしました。今日は休むということを、先生に電話で伝えなければなりません。

電話で伝えなければいけないのは、次の4つです。

①　昨日《きのう》、てつぼうから落ちて、右の手首をねんざしてしまいました。

②　2週間ぐらいでなおるそうです。

③　手首はいたいし、右ききなので、エンピツもしっかりにぎれません。

④　今日は、お休みします。

どんな順番で伝えればいいかな？　①－④を、「先生にとってわかりやすい順番」にならびかえてね。

＊この問題にも正解があるよ。

この問題を解《と》くコツは、

「伝えなきゃいけないことランキング」を作るとしたら、どんな順位になる？

と考えることだ。

伝えなきゃいけない、いちばん大事なことは何番？　次に大事なのは何番かな……と考えてならべていくんだね。

大切なことを伝えるときは、

「伝えなきゃいけないことランキング」を作る→ランキングの順番で話す！

なんでかというと……そうしないと、よくわかってもらえないからだ。たとえば、電話でいきなり先生に、「手首はいたいし、右ききなので、エンピツもしっかりにぎれません」と言ったら、先生は「え？　何？　いったい何の話？」とこまってしまう。先生の頭の中は、はてなマークでいっぱいになってしまう。

「伝えなきゃいけないことランキング」どおりに話せば、相手の頭の中に「はてなマーク」を作らずにすむんだ。

じゃあ、さっきの問題に出てきた4つの文をもう一度見てみよう。

①　昨日、てつぼうから落ちて、右の手首をねんざしてしまいました。
②　2週間ぐらいでなおるそうです。
③　手首はいたいし、右ききなので、エンピツもしっかりにぎれません。
④　今日は、お休みします。

「伝えなきゃいけないことランキング」1位の文、つまり、いちばん大事な文はどれかな？　いちばん大事な文は「結論《けつろん》」だから、結論はどれ？　と考えてもいいよ。

今回の電話でいちばん大事な部分はどこだろう。先生にぜったい知っておいてもらわないとこまることは……今日は休む、ということだ。つまり、④の「今日は、お休みします」がいちばん大事な文、結論になる。

じゃあ、ランキング2位はどれ？　結論の次に大事なのは、何だっけ？　そう、理由だ（そうだっけ？　という人は192ページを読んでね）。理由、つまり「なんで休むのか」という部分はどこにあるかというと……①の「昨日、てつぼうから落ちて、右の手首をねんざしてしまいました」だ。だから、まずは、

④→①

という順番になる。

残るは②と③だ。どっちのほうが大事かな？

②は、「2週間ぐらいでなおるそうです」なので、「これからのこと」を言ってる。そして、③は、「手首はいたいし、右ききなので、エンピツもしっかりにぎれません」だ。あなたの手首のようすを説明してるわけだけど、これは、「なぜ今日休むのか」という理由にもなってる。ねんざしてもふつうに授業を受けられるなら、休まなくて

もいいからね。理由としては、①の「昨日、てつぼうから落ちて、右の手首をねんざしてしまいました」のほうが大きいけど、③もそこそこ大事な理由だ。「これからのこと」よりも「理由」のほうが大事なので、順番は、

④→①→③→②

になる。できたかな？

ちょっと話は変わるけど——

私の知ってる女の子で、「なぞかけ」の大好きな子がいるの。「なぞかけ」ってわかるかな。「○○とかけて××と解く。その心は？」という、なぞなぞの一種で、これは、「○○と××の共通点は何でしょう？」と聞いてるのと同じなんだ。あ、それで、その女の子がね、

「『伝える』とかけて『じゃんけん』と解く。その心は？」

とよく言ってた。答え、わかる？

答えは、「相手がいないとできない」。伝えることも、じゃんけんも、1人じゃできないからね。すごいなぞかけだなあ、と感動したよ。

相手がいないと、「伝える」ことはできない。相手がいてくれるからこそ、伝えることができる。つまり、そんな**大切な相手に、しっかりわかってもらえるように話す**――それが、伝えるということなんだ。

【Q4の答え】

④→①→③→②

＊じっさいに電話するなら、こんな感じになる。

「もしもし、○年×組の△△です。今日は、お休みします（④）。昨日、てつぼうから落ちて、右の手首をねんざしてしまいました（①）。手首がいたいし、右ききなので、エンピツもしっかりにぎれません（③）。ねんざは、2週間ぐらいでなおるそうです（②）。」

さっきの問題でやった「伝える順番」は、相手にしっかりわかってもらうためのものだ。

順番に気をつけないと、「え？　あなた、何言ってるの？」とこまらせてしまうからね。

きちんとした順番で話すと、他にもいいことがある。たとえば、相手が話を最後まで聞けないとき。大事なことから先に話しておけば、「これからいちばん大事なことを言おうとしてたのに……なんでいなくなるかなぁ」なんてことにならずにすむ。

なになに？　人の話は最後まで聞かなくちゃいけないんだよ、最後まで聞かないなんて、その人が悪いって？　うん、最後まで聞けるはずなのに聞かないのは良くない。でも、聞きたいのに聞けなくなることはけっこうあるんだ。

たとえば、下校中、友だちと運動会の大事な話をしていたら、急に「たいそう着、忘れた！」と言って走っていっちゃうとか。おうちの人と話してたら、

「ごめん、もう仕事行かなくちゃ」と言われちゃう、とかね。
相手は、いつ急にいなくなるかわからない。だから、話が途中《とちゅう》で終わってしまってもいいように、大事なことから順番に話しておくんだ。

じゃあ、話す順番だけ気をつければいいのかって？　残念ながら、そうじゃない。伝えるときは、どんなことばを使うか、も大事だ。
たとえば、あなたが、出かけるときは必ずぼうしをかぶる、という人だったとする。そしてある日、クツを履《は》いて出かけようと思ったら、ぼうしをかぶっていないことに気づいて、

「お母さん！　あれ！　あれ取って！」

と言ったとする。

「『あれ』じゃわからないわよ」と言われるかもしれないけど、たぶん、お母さんは「ぼうしのことを言ってるんだな」とわかってくれると思う。お母さんは、あなたが出かけるときはぼうしをかぶる、ということを知ってるだろうし、前にも同じようなことがあったかもしれないからね。

じゃあ、相手がお母さんじゃなかったらどうだろう。たとえば、めったに会わない、親《しん》せきのおじさんが相手だったら？

「おじさん、あれ取って」

と言って、通じるかな。

たぶん通じないと思う。「あれ」って何のことだろう、カギ？　水筒《すいとう》？　上着？……とこまってしまうよね。「『あれ』が何か」なんて、めったに会わないおじさんがわかるはずないもの。

じゃあ、これを最後の問題にしよう。

Q5

おじさんが相手なら、なんと言えばわかってもらえると思う？　おじさんへの「セリフ」を考えてね。

＊どんなぼうしなのか、ぼうしはどこにあるのか、などについては、自分で好きにきめていいよ。

この問題の解き方のコツは、

「どんな言い方をすれば、おじさんはラク～に理《り》解《かい》できる？」

と考えること。おじさんの立場に立って考えるんだ。そして、

「おじさんが知ってることは何？　知らないことは何？」

と考えることも大事だ。

あなたのぼうしはどんなぼうしか、おじさんが知っているなら、「おじさん、そこのボクのぼうし、取ってくれる？」などと言えばいいよね。どんなぼうしか知らないとき、あるいは、おじさんの目の前にぼうしが２つあるようなときは、たとえば、「白くて、ピンクの花がついてるぼうし」などと言わないとわかってもらえない。

「伝える」は相手がいるからこそできる。どんなことばを、どんな順番で話せば相手は「ラク～に理解できるか」ということを、考え続けてほしい。考えることはクセだ。相手の気持ちになって考えることをクセにすれば、あなたの話はもっと、もっと、わかりやすくなるよ。

【答えの例】

Ｑ５「おじさん、テレビの前に置いてある、白いぼうしを取ってくれる？」「おじさん、赤い野球帽《やきゅうぼう》がリビングにあると思うんだけど、取ってくれる？」など。

〈著者略歴〉
狩野みき（かの・みき）
慶應義塾大学、東京藝術大学、ビジネス・ブレークスルー大学講師。考える力イニシアティブ THINK-AID 主宰、子どもの考える力教育推進委員会代表。慶應義塾大学大学院博士課程修了。20年以上にわたって大学等で考える力・伝える力、英語を教える。著書に『世界のエリートが学んできた「自分で考える力」の授業』『プログレッシブ英和中辞典［第５版］』など多数。2012年、TEDxTokyo Teachers にて、日本の子どもたちにもっと考える力を、という趣旨の TED トーク“It's Thinking Time”（英文）を披露し、好評を博した。二児の母。ウェブサイト http://www.thinkaid.jp

この本を読んでわからないことがあったら、こちら宛にお手紙をお送りください。

〒135-8137　東京都江東区豊洲 5-6-52 ＮＢＦ豊洲キャナルフロント
ＰＨＰ研究所　第四制作部気付
狩野みき様宛

＊キミの住所や名前も忘れずに書いてね！

ハーバード・スタンフォード流
子どもの「自分で考える力」を引き出す練習帳《れんしゅうちょう》

2020年３月24日　第１版第１刷発行

著　者　狩野みき
発行者　後藤淳一
発行所　株式会社ＰＨＰ研究所
東京本部　〒135-8137　江東区豊洲5-6-52
第四制作部　☎03-3520-9614（編集）
普及部　☎03-3520-9630（販売）
京都本部　〒601-8411　京都市南区西九条北ノ内町11
PHP INTERFACE　https://www.php.co.jp/
組　版　株式会社PHPエディターズ・グループ
印刷所　大日本印刷株式会社
製本所　株式会社大進堂

ISBN978-4-569-84671-2